história da
Pedagogia

Jean Piaget

Os caminhos do conhecimento

A trajetória de um intelectual
em direção à construção
de uma epistemologia genética

Teresa Cristina Rego - Organizadora

1ª edição
São Paulo, 2018

Editora Segmento

Dados Internacionais de Catalogação na Publicação (CIP)
(Câmara Brasileira do Livro, SP, Brasil)

Jean Piaget : os caminhos do conhecimento :
a trajetória de um intelectual em direção à
construção de uma epistemologia genética /
Teresa Cristina Rego, organizadora. -- 1. ed. --
São Paulo : Editora Segmento, 2018. -- (História
da pedagogia / coordenação Teresa Cristina Rego)
Vários autores.
Bibliografia.
ISBN 978-85-89636-28-5
1. Aprendizagem 2. Educação - Filosofia
3. Educação - História 4. Epistemologia genética
5. Pedagogia - História 6. Piaget, Jean, 1896-1980
I. Rego, Teresa Cristina. II. Série.
18-19437 CDD-370.9

Índices para catálogo sistemático:
1. Educação : História 370.9
2. Pedagogia : História 370.9
Cibele Maria Dias - Bibliotecária - CRB-8/9427

Introdução

EPISTEMOLOGIA PIAGETIANA E EDUCAÇÃO

Este volume, dedicado à apresentação da obra do suíço Jean Piaget (1896-1980), considerado um os mais destacados autores do século XX, fundador da chamada Epistemologia Genética, inaugura a Coleção História da Pedagogia. Trata-se de uma coleção de livros destinada a educadores, estudantes e profissionais da educação (mas com possibilidade de atingir um público mais amplo), em que são apresentados e discutidos alguns dos principais postulados de pensadores de perfis diversos, que produziram em diferentes períodos da história e que trouxeram contribuições significativas para o campo educacional.

O objetivo é oferecer ao leitor a oportunidade de conhecer um rico balanço da produção para o campo educacional do legado de pensadores proeminentes, nem sempre diretamente ligado ao universo pedagógico. Numa primeira fase a coleção será composta de seis volumes, cada um dedicado à apresentação e análise da obra de um autor, a saber: Piaget, Vigotski, Wallon, Paulo Freire, Rousseau e Dewey.

Como avalia Fernando Becker (num dos capítulos aqui publicados), embora bastante divulgado, o epistemólogo suíço ainda não é suficientemente compreendido no universo educacional: "Piaget é amplamente conhecido na educação. Sua presença nunca é indiferente, inócua; sempre gera conflito. É amado ou odiado. E quase sempre não compreendido. (...) Compreender um autor cuja produção ultrapassa 20 mil páginas (mais de 60 livros, centenas de artigos) é um desafio permanente para quem assume a responsabilidade de interpretá-lo, divulgá-lo.

Esse foi, em certa medida, o desafio aceito pelos autores dos textos reunidos nesta obra, alguns dos principais especialistas nacionais na obra piagetiana: Dominique Colinvaux, Fernando Becker, Lino de Macedo, Adrián Oscar Dongo Montoya, Luci Banks, Maria Thereza Costa Coelho e Souza, Orly Z. Mantovani de Assis, Maria Belintane Fermiano e Valéria Borsatto. Os textos, rigorosos em termos conceituais, mas acessíveis do ponto de vista da linguagem, oferecem ao leitor dados biográficos de Piaget, suas principais pesquisas, ideias e teses relacionadas ao campo da educação, bem como uma bibliografia selecionada.

Espero que a leitura deste volume represente uma boa oportunidade para a compreensão mais refinada da grandeza, complexidade e originalidade da obra piagetiana.

Vale informar que o conteúdo do presente livro foi originalmente publicado como um dos fascículos da Série História da Pedagogia, coleção especial da Revista Educação - Editora Segmento. Tal série – editada por Rubem Barros e por mim concebida e coordenada - foi vendida em bancas e livrarias de todo o país durante o ano de 2010, com expressiva receptividade do público leitor. Esta é a principal razão que nos motivou a publicar os textos das revistas em forma de livros.

Teresa Cristina Rego é professora
da Faculdade de Educação da USP

PENSADOR RIGOROSO, HOMEM AFÁVEL

por Dominique Colinvaux

Piaget procurou identificar as estruturas de pensamento, mostrando a capacidade humana de criar conhecimentos cada vez mais sofisticados, decorrente da ação dos sujeitos humanos em interação com o mundo

Incontestavelmente, um dos mais importantes pensadores do século xx, Jean Piaget (1896-1980) é autor de uma obra prodigiosa. São muitas publicações, que incluem mais de 50 livros, desde seu primeiro livro em 1923 até as obras póstumas publicadas nos anos 1980, e ainda mais de 500 artigos. "A favor ou contra", é inegável o reconhecimento internacional do pensamento de Piaget, que permanece uma referência necessária até hoje.

Defensor intransigente de uma abordagem interdisciplinar para a investigação epistemológica, Piaget atravessa as fronteiras de vários campos do conhecimento, prática cujo os propósitos nem sempre são bem compreendidos.

Muito cedo Piaget formulou uma questão central, que ele irá perseguir ao longo de toda sua vida: como o pensamento científico – por exemplo em matemática ou em física – procedeu de um estado de menor conhecimento a um conhecimento julgado superior? Em sessenta anos de pesquisa, sempre com a colaboração de estudantes e outros pesquisadores, chama a atenção a notável coerência dos propósitos de Piaget e a persistência na busca de respostas a esta pergunta central, cedo esboçada. O próprio Piaget reconhece isso quando se refere a Henri Bergson (1859-1941), filósofo francês que muito o influenciou, para quem uma mente filosófica é geralmente dominada por uma única ideia, que se esforça por expressar de diferentes maneiras durante toda a vida, sem jamais conseguir pleno sucesso.

Deste longo percurso resulta uma teoria rigorosa, refinada e extremamente minuciosa, em que cada conceito tem lugar e função específicos. Além disso, a teoria ultrapassa a mera especulação ao se apoiar sistematicamente em dados empíricos de observação e registro das centenas de entrevistas conduzidas com crianças.

Atravessando as fronteiras da psicologia e da filosofia, reunindo contribuições da história da matemática, da física e da própria lógica, não é de surpreender que a teoria de Piaget fosse – e ainda é – alvo de inúmeras críticas. Mas também há de se reconhecer que, não raras vezes, as ideias de Piaget foram mal interpretadas, quando menos porque a leitura de seus textos nem sempre é tarefa fácil e muitas vezes recorre-se a introduções parciais e incompletas.

É verdade que Piaget é "um autor difícil, de pensamento rigoroso, sem concessões para com o leitor", como diz Emilia Ferreiro em seu texto "Jean Piaget: o Homem e sua Obra". A escrita piagetiana, como qualquer outra, traz as marcas de seu tempo; além disso, Piaget desenvolveu um estilo muito próprio, como se raciocinasse em voz alta – ou por escrito. Aliás, ele mesmo dizia que não conseguia pensar sem escrever. São muitos textos, mas o mergulho

CRONOLOGIA

1896
9 de agosto. Jean Piaget nasce em Neuchâtel, Suíça.

1907
Julho. Publicação amadora sobre um pardal albino. Setembro. Ingressa no ginásio. Outubro. Auxilia Paul Godet, diretor do Museu de História Natural de Neuchâtel.

1910-1915
Membro do Clube dos Amigos da Natureza, grupo de naturalistas amadores.

1911
Primeiros artigos sobre taxinomia malacológica em revistas especializadas.

no mundo de Piaget é recompensador. A ele, sem dúvida, devemos uma primeira ruptura histórica que abriu novos horizontes de compreensão acerca da criança pequena.

INFÂNCIA E ADOLESCÊNCIA: AS BASES DE UMA EXPLICAÇÃO BIOLÓGICA DO CONHECIMENTO

Jean Piaget nasce em 9 de agosto de 1896, em Neuchâtel, Suíça, o primeiro de três filhos. Seu pai, Arthur Piaget, era professor de língua e literatura medievais da Universidade de Neuchâtel. Lembrando da figura paterna, Piaget descreve-o como um historiador de espírito crítico e fina ironia, que lhe ensinou o valor do trabalho sistemático. Sua mãe Rebecca-Suzane, de rara honestidade, foi uma das primeiras socialistas suíças. Mas, com ela, Piaget parece ter tido uma relação mais complexa e, às vezes, conflituosa.

Em seu belo texto "Piaget Neuchâtelois", Fernando Vidal conta a infância e adolescência de Piaget nessa cidade. Comenta o primeiro breve relato acerca de um pardal albino, de poucas linhas, publicado em 1907 em uma revista de naturalistas amadores – estudiosos de plantas, animais e minerais. Em outubro do mesmo ano, o jovem Piaget assume uma nova tarefa: duas vezes por semana, auxilia o diretor do Museu de História Natural de Neuchâtel, Paul Godet, grande especialista em malacologia – ramo da biologia que estuda os moluscos – a organizar as coleções de conchas. Em seu tempo livre, coleciona moluscos de sua região. Entre 1910 e 1915, Piaget frequenta o Clube dos Amigos da Natureza, também de na-

1912
Curso de instrução religiosa (março-abril) e confirmação na Igreja Independente (protestante) de Neuchâtel. Verão. Descobre a filosofia de Henri Bergson. Setembro. Ingressa na escola secundária (seção literária). Aulas de filosofia com A. Reymond.

1914
Verão. Participa da Associação Cristã Suíça de Estudantes (ACSE), publicando textos.
Agosto. Início da 1ª Guerra Mundial.

1915
Julho. Termina os estudos secundários. Setembro a Dezembro. Estadia em Leysin para cuidar da saúde. Outubro. Ingressa na Faculdade de Ciências na Universidade de Neuchâtel. Dezembro. Lançamento de "A Missão da Ideia".

turalistas amadores. Visando à formação científica de alunos secundaristas, o clube propõe atividades em que se integram observações de campo com debates filosóficos. Dessas experiências, permanecerá o hábito de minuciosas observações e detalhadas descrições, base de toda e qualquer reflexão.

Em 1912, a pedido da mãe, protestante e muito religiosa, Piaget segue um curso de instrução religiosa sobre os fundamentos da doutrina cristã, na Igreja Independente de Neuchâtel. Segundo o próprio Piaget, o assunto desperta-lhe vivo interesse mas forte sentido crítico. Acaba concluindo que os dogmas religiosos reduzem-se a símbolos históricos. Nesse mesmo ano, seu padrinho lhe apresenta as ideias de Henri Bergson, que o marcam profundamente e de maneira duradoura. Curioso, Piaget inicia um mergulho um pouco desordenado em leituras variadas, tanto de filosofia como de psicologia, enquanto, na escola secundária, assiste às aulas de lógica, metodologia científica e psicologia ministradas por seu professor Arnold Reymond (1874-1958), filósofo da Universidade de Neuchâtel.

Mas as ideias entram em conflito e Piaget vive uma crise que opõe religião e ciência, a lhe exigir uma escolha: a fé ou o conhecimento? A leitura de Bergson sugere uma possível solução: se Deus é vida, e a biologia estuda a vida, então a biologia pode ser um caminho para estudar todas as coisas. E mais: com Bergson, o conhecimento científico é um problema em si, no sentido de que é preciso analisar criticamente a origem de nossos conhecimentos. Piaget descobre fascinado a epistemologia, ramo da filosofia voltado para o estudo

1916
1º semestre. Estadia em Leysin onde permanece, com interrupções, até fevereiro de 1917.

1917
Membro do Movimento Socialista Cristão.

1918
Julho. Encerra o curso de graduação em Ciências Naturais e finaliza tese. Viaja para Zurich. Outubro. Lançamento de Recherche.

1919
Viaja a Paris.

das questões do conhecimento. E decide, então, se dedicar a elaborar uma explicação biológica do conhecimento. Vale a pena deter-nos sobre esta expressão que aproxima biologia e conhecimento. Piaget não pretende em absoluto subordinar o conhecimento à biologia, ou argumentar que o conhecimento é inato ou determinado biologicamente. Piaget, assim como Bergson, reconhece que, assim como a vida é permanente criação de novas formas orgânicas, também a inteligência humana é criadora de formas de conhecimento e, por isso, uma explicação pode – e deve – aproximá-las.

Em agosto de 1914, é declarada a Primeira Guerra Mundial. Nesse mesmo ano, Piaget começa a frequentar a Associação Cristã Suíça de Estudantes (ACSE), da qual participa ativamente, inclusive publicando textos. O contexto da guerra mobiliza e angustia a todos e Fernando Vidal comenta: "Durante a Primeira Guerra Mundial, o jovem Piaget fora animado por uma atmosfera mística, apaixonara-se pela religião e pela política, participara de grupos de juventude socialista e cristã, pensava que a construção de sua identidade pessoal era inseparável de seu trabalho científico e filosófico e subordinava seus projetos intelectuais à criação de um mundo melhor".

É neste contexto histórico turbulento que Piaget publica A Missão da Ideia (1915), em que defende com entusiasmo o papel das ideias, contrapondo-as ao horror da guerra e aproximando-as de um ideal cristão e socialista. Aliás, o compromisso de Piaget com uma proposta socialista-cristã o levará a filiar-se, em 1917, à Federação Socialista Cristã.

1921
Começa a trabalhar no Instituto Jean-Jacques Rousseau, em Genebra. Primeiros artigos sobre a criança. Continua investigação com moluscos.

1923
Primeiro livro de psicologia: Linguagem e Pensamento na Criança.

1924
Casa-se com Valentine Châtenay. Desse casamento, nascem Jacqueline (1925), Lucienne (1927) e Laurent (1931).

1925
Assume o cargo de professor na Universidade de Neuchâtel (até 1929). Mantém suas atividades no Instituto Jean-Jacques Rousseau.

Em julho de 1915, Piaget finaliza seus estudos secundários e se matricula na Faculdade de Ciências Naturais da Universidade de Neuchâtel. Em julho de 1918 obtém seu bacharelado em Ciências Naturais e, logo em seguida, finaliza sua tese, intitulada Introdução à Malacologia da Região do Valais.

Nesse meio-tempo, entre 1915 e 1917, problemas de saúde o levaram a repetidas estadias em Leysin, pequena cidade nas montanhas conhecida por acolher aqueles que sofrem de doenças pulmonares e, durante a guerra, soldados de vários países. Neste ambiente peculiar, lugar de retiro e de cura, Piaget retoma o dilema entre ciência e fé, buscando caminhos que permitam estabelecer as bases científicas dos valores morais. Como era de seu feitio, sua reflexão passa pela escrita. O resultado é um novo texto, romance filosófico e autobiográfico: Recherche – que em francês tem o duplo sentido de "busca" e "pesquisa" – publicado em 1918.

Tentando superar o dilema entre ciência e fé, essa obra anuncia de modo surpreendente as questões e os princípios teóricos desenvolvidos ao longo das décadas seguintes. Michael Chapman, em seu estudo sobre o desenvolvimento do pensamento piagetiano, destaca três ideias: a) a ação está na origem do pensamento e se organiza com base em uma lógica análoga à lógica do pensamento; b) todos os níveis de realidade, seja a célula, o pensamento ou as sociedades humanas, se organizam em sistemas ou totalidades, definidos como conjunto de relações que articulam parte e todo; c) tais sistemas são caracterizados pelo seu equilíbrio, ou seja, as partes e o todo mantêm relações dinâmicas que garantem a permanência do sistema.

1929
Instala-se definitivamente em Genebra. Diretor do Bureau International de l'Education (até 1967). Professor de História do Pensamento Científico na Universidade de Genebra (até 1939).

1932
Codiretor do Instituto Jean-Jacques Rousseau.
1936-1937
Publicação dos estudos sobre o bebê. Primeiro de vários títulos de Doctor Honoris Causa, pela Universidade de Harvard, EUA.

1939
Início da 2ª Guerra Mundial.
Professor de Sociologia da Universidade de Genebra (até 1952).

PSICOLOGIA: A DESCOBERTA DE UM CAMINHO QUE LEVA ÀS CRIANÇAS

No outono de 1918, Piaget viaja para Zurique em busca de uma formação em psicologia. Nos laboratórios de psicologia experimental de Lipps e Wreschner, familiariza-se com métodos experimentais e estatísticos mas não encontra o que procura. Conhece Eugène Bleuler (1857-1939), àquela época diretor da clínica psiquiátrica Burghölzli, e seu assistente Carl Gustav Jung (1875-1961), que o colocam em contato com a perspectiva psicanalítica. No entanto, ainda insatisfeito e receando permanecer no plano da especulação solitária, deixa Zurique na primavera de 1919. Retoma seus estudos em malacologia e, no outono de 1919, viaja a Paris.

A estadia em Paris, entre 1919 e 1921, revelou-se extremamente rica. Na Sorbonne, Piaget conhece os grandes nomes da psicologia e psicopatologia, como Pierre Janet (1859-1947), assiste aos cursos de lógica e filosofia da ciência de Léon Brunschvicg (1869-1944). Piaget também aprende a interrogar os doentes do hospital psiquiátrico de Sainte-Anne e a entrevistar as crianças especiais do Hospital La Salpêtrière, familiarizando-se com o método clínico próprio à área médica.

Mas o acontecimento mais significativo foi o encontro com Théodore Simon (1973-1961), que convida Piaget a padronizar os testes de raciocínio de C. Burt, desenvolvidos nos Estados Unidos. Instalado no laboratório de Alfred Binet (1875-1911), na rua Grange-aux-Belles, Piaget logo percebe que é muito mais interessante investigar por que as crianças dão respostas erradas. Desen-

1940
Professor de Psicologia Experimental da Universidade de Genebra, sucedendo a Edouard Claparède. Diretor do Laboratório de Psicologia.

1942
Ciclo de conferências no Collège de France, Paris.

1950
Publica Introdução à Epistemologia Genética (3 v.).

1955
Fundação do Centro Internacional de Epistemologia Genética (CIEG), fechado em 1984.

volvendo entrevistas clínicas bem diferentes da técnica dos testes, Piaget investiga os processos mentais que levam as crianças a dar suas respostas, tanto erradas como certas. Descobre, surpreso, que raciocínios aparentemente simples apresentam dificuldades para crianças menores. As respostas infantis, para além de indicar erros, revelam assim uma forma própria de raciocinar.

A experiência de Paris permite delimitar um campo de estudos empíricos: o pensamento infantil, especialmente o raciocínio lógico. E os indícios de que a lógica não é inata, mas se desenvolve progressivamente, convergem para a ideia segundo a qual a evolução do pensamento é acompanhada de estruturas cada vez mais equilibradas.

Piaget publica seus resultados em três artigos, um dos quais foi encaminhado a Edouard Claparède, diretor do Instituto Jean-Jacques Rousseau em Genebra, na Suíça, que o convida para assumir o cargo de coordenador de pesquisas no Instituto.

ANOS 1920: AS PRIMEIRAS PESQUISAS EM PSICOLOGIA

Em 1921, Piaget assume suas novas funções no Instituto Jean-Jacques Rousseau, que inclui a Maison des Petits [Casa das crianças], uma espécie de escola experimental. As pesquisas realizadas geram um primeiro ciclo de cinco publicações, entre 1923 e 1932.

Em A Linguagem e o Pensamento na Criança (1923) e O Raciocínio da Criança (1924), Piaget lança mão de sua capacidade de fazer minuciosas observações e descrições, para estudar as formas e funções da linguagem e do raciocínio das crianças entre 3 e 12 anos. Os estudos A Representação do Mundo na Criança (1926) e

1971
Aposenta-se da Universidade de Genebra.

1976
Piaget apresenta Equilibração das Estruturas Cognitivas perante um júri internacional e interdisciplinar.

1980
16 de setembro: Jean Piaget morre em Genebra.

A Causalidade Física na Criança (1927), por sua vez, investigam de modo complementar as concepções infantis de realidade e de causalidade. Em 1932, Piaget publica O Julgamento Moral na Criança (1932), que focaliza a compreensão das regras usadas em jogos (por exemplo, bolas de gude) e de princípios morais relacionados com a mentira e a justiça.

Fiel a seus propósitos epistemológicos, Piaget conclui esses estudos com as perguntas: como a criança chegou a essas ideias? É a realidade externa que determina o que pensa a criança ou a criança busca ativamente compreender o mundo que a rodeia? E mais: a origem do conhecimento está no pensamento humano ou no mundo exterior?

Estes textos são de agradável leitura. Repletos de dados, trazem ao leitor crianças cheias de vida e evidenciam alguns dos principais conceitos da psicologia genética. Em especial, Piaget analisa as qualidades que diferenciam as respostas infantis a cada questão, de tal modo que é possível estabelecer etapas, isto é, respostas progressivamente mais elaboradas para cada um dos temas abordados. Estas etapas, no entanto, ainda não configuram a teoria dos estágios, como viria a ser conhecida a descrição do desenvolvimento das estruturas operatórias do pensamento.

Essas publicações logo despertaram grande interesse, sobretudo por apresentar a criança como sujeito da razão – ainda que de uma razão própria –, o que levou Piaget a ser convidado a expor suas ideias em várias universidades europeias e norte-americanas. Participa também, em 1922, do Congresso Internacional de Psicanálise, em Berlim, com um trabalho sobre o pensamento simbólico infantil.

A VIDA PARA ALÉM DA PESQUISA: OS ANOS 1920 E INÍCIO DOS ANOS 1930

Paralelamente à pesquisa, Piaget se envolve com atividades de ensino que são uma oportunidade para ler e refletir sobre temas de seu interesse. Entre 1925 e 1929, Piaget assumiu as cadeiras de Filosofia da Ciência, de Psicologia e de Sociologia na Universidade de Neuchâtel, sucedendo a seu professor A. Reymond.

Ainda em Neuchâtel, Piaget retoma seu trabalho sobre moluscos e, com base em seus dados sobre as *Limnaea stagnalis*, discute a relação entre hereditariedade e influências ambientais. Este estudo mantém relação com as pesquisas psicogenéticas, apontando que a relação entre sujeito e meio deve ser concebida como uma interação, isto é, uma via de mão dupla que integra as influências recíprocas do meio sobre o indivíduo e do indivíduo sobre o meio.

Em 1929, Piaget retorna à Universidade de Genebra como professor de História do Pensamento Científico e torna-se diretor assistente do Instituto Jean-Jacques Rousseau, onde continua lecionando Psicologia da Criança. Nesse mesmo ano, também aceita assumir a direção do Bureau International de L´Éducation [Gabinete Internacional de Educação], posteriormente vinculado à Unesco, na esperança de contribuir para a renovação das abordagens pedagógicas.

Os anos 1920 representam também um marco para a vida pessoal de Piaget, que se casa em 1924 com Valentine Châtenay. Suas filhas, Jacqueline e Lucienne, nascem em 1925 e 1927, e seu filho Laurent em 1931. Assim como para muitos outros pesquisadores, a vida em família, e sobretudo o convívio diário com crianças pequenas, possibilitam observações – tanto fortuitas como provocadas – que, registradas e analisadas, geram novas hipóteses. Para Piaget, o nascimento de seus filhos lhe permite se debruçar sobre as origens da cognição humana, acompanhando seus primeiros passos até o advento da fala, quando se consolida a inteligência representativa.

O NASCIMENTO DA INTELIGÊNCIA: SISTEMATIZAÇÃO DE UMA LÓGICA DA AÇÃO

O estudo dos primeiros 24 meses de vida dos bebês gera a publicação de três livros primorosos: O Nascimento da Inteligência na Criança (1936), A Construção do Real na Criança (1937) e, mais tarde, A Formação do Símbolo na Criança: Imitação, Jogo e Sonho, Imagem e Representação (1945).

De modo geral, o desenvolvimento do bebê se origina de uma indiferenciação entre o eu e o não-eu, a vida parecendo-se com um fluxo ininterrupto de sensações e movimentos. Evidenciando o papel ativo do sujeito na interação com o meio, o bebê realiza um duplo movimento de constituição de si mesmo, como sujeito, e do mundo exterior. A inteligência sensório-motora – feita, assim, de sensações e movimentos – é uma inteligência prática, que se realiza na e pela ação, uma ação que se exerce no aqui e agora porque ainda não se formaram os instrumentos de representação. A capacidade de representar, construída ao longo destes primeiros dois anos de vida, implica que uma coisa – um objeto, um evento e, mais tarde, uma ideia ou um sentimento – pode ser representada por outra, de natureza simbólica ou semiótica: uma palavra, uma imagem mental, um desenho. Com a capacidade de representar, o pensamento alcança novos poderes: liberado do aqui e agora, pode lembrar do passado e projetar o futuro, pensar naquilo que não está presente, imaginar o que não existe, inventar para além do que a realidade aponta.

Em O Nascimento da Inteligência, o funcionamento da inteligência sensório-motora é detalhado minuciosamente, mostrando como se formam e se desenvolvem os instrumentos de apreensão da realidade: os esquemas de ação, que possibilitam a assimilação do mundo exterior e, simultaneamente, se acomodam às características dos objetos. O estudo sobre A Construção do Real analisa a formação das categorias básicas do pensamento, que resultam na progressiva organização do mundo exterior pelo bebê humano que se situa, então, em relação aos objetos no espaço e no tempo, reconhecendo também as conexões causais entre eventos. O desenvolvimento da função simbólica ou semiótica, relacionada a diferentes modalidades de representação, é tema do estudo sobre imitação, jogo simbólico e representação cognitiva. A tese piagetiana sustenta que o pensamento se origina da interiorização da ação, que é o elo entre o funcionamento biológico adaptativo e as operações intelectuais.

A VIDA CONTINUA: COMPROMISSOS E ATIVIDADES ENTRE 1930 E 1940

Em 1932, Piaget assume a codireção do Instituto Jean-Jacques Rousseau, incorporado à Universidade de Genebra em 1933. Começa a trabalhar sobre as quantidades físicas de massa, peso e volume com Barbel Inhelder (1913-1997) e sobre a noção de número com Alina Szeminska. Inicia as pesquisas sobre as relações entre espaço e tempo e, no início da década de 1940, trabalha sobre o desenvolvimento da percepção, buscando determinar suas relações com a inteligência. Paralelamente, investiga o desenvolvimento das noções de tempo, movimento e velocidade. Em 1943, encerra o estudo sobre noções espaciais com Inhelder, bem como os estudos sobre o acaso e as probabilidades. Trabalha sobre uma formalização lógica das estruturas de pensamento e, em 1937, participa do Congresso Internacional de Psicologia, em Paris, com um primeiro trabalho sobre a estrutura dos agrupamentos. Em 1946, começa a preparar uma introdução à epistemologia genética.

Seus compromissos docentes incluem, na Universidade de Lausanne, lecionar Psicologia Experimental e Sociologia, de 1938 a 1951. Em 1939, é nomeado professor da Universidade de Genebra onde, em 1940, assume a cadeira de Psicologia Experimental, sucedendo a Claparède, e a direção do Laboratório de Psicologia. Entre 1940 e 1943, preside a Sociedade Suíça de Psicologia e, nesse mesmo período, assume a direção da revista Arquivos de Psicologia (com A. Rey e M. Lambercier) e edita a Revista Suíça de Psicologia.

Em 1942, durante a Segunda Guerra Mundial, Piaget é convidado a ministrar no Collège de France uma série de conferências, posteriormente reunidas na publicação A Psicologia da Inteligência (1947).

Piaget dizia que, para pensar, são necessárias várias pessoas. Uma leitura atenta das primeiras páginas de seus livros – das primeiras às últimas publicações – mostra seu nome como primeiro autor, invariavelmente acompanhado da expressão: "com a colaboração de..." seguida de uma lista mais ou menos extensa de nomes. Mais tarde, no Centro Internacional de Epistemologia Genética, a equipe incluía mais de cinquenta assistentes e uma parte das centenas de estudantes inscritos nas disciplinas de Piaget.

A TEORIA DOS ESTÁGIOS, OU O PERÍODO GENÉTICO-ESTRUTURALISTA: DOS ANOS 1940 ATÉ 1955

Se, nos anos 1920, o pensamento infantil é estudado a partir de sua expressão verbal, agora as entrevistas focalizam problemas concretos e envolvem a possibilidade de a criança agir sobre os objetos, manipulando massinha, líquidos, fichas, flores, bonecas etc. com o objetivo de investigar a gênese psicológica das estruturas do pensamento nas várias áreas do conhecimento científico. A expressão genético-estruturalista caracteriza, então, este conjunto de pesquisas.

São muitos os temas abordados, cada qual gerando uma publicação. O Desenvolvimento das Quantidades Físicas (1941) estuda os chamados "invariantes físicos": massa ou substância, peso e volume. Seguem-se, entre outros, A Gênese do Número (1941), A Noção de Tempo na Criança (1946), A Geometria Espontânea na Criança (1948), A Representação do Espaço na Criança (1948). Destacam-se ainda, desse período, A Gênese das Estruturas Lógicas Elementares (1959) que focaliza classificação e seriação, e Da Lógica da Criança à Lógica do Adolescente (1955), a única publicação que trata especificamente das operações formais.

Os temas abordados – assim como as situações-problema apresentadas às crianças – são definidos a partir de uma discussão epistemológica acerca de cada uma das noções científicas estudadas. Por isso, Piaget sempre inicia estes livros com a formulação de alternativas epistemológicas, para então apresentar os dados psicogenéticos que alimentam a discussão epistemológica. Neste processo, pouco importam as diferenças individuais entre esta ou aquela criança. O que está em jogo é o processo de desenvolvimento daquelas ferramentas – as estruturas operatórias – que caracterizam o pensamento científico. Os estudos psicogenéticos descrevem o sujeito epistêmico, que é uma construção teórica definida como o conjunto de características comuns a todas as crianças de um mesmo estágio de desenvolvimento

Tomados em conjunto, esses estudos sistematizam os estágios de desenvolvimento psicológico. E mais: mostram que, a cada estágio, corresponde uma estrutura psicológica, definida como sistema de transformações, que podem ser ações práticas, no período sensório-motor, ou operações mentais, nos estágios posteriores. As estruturas psicológicas caracterizam o equilíbrio alcançado pelo pensamento em cada etapa de desenvolvimento. Assim, Piaget atinge o objetivo que tinha se fixado nos anos 1920: identificar as estruturas de pensamento, evidenciando a capacidade humana de criar conhecimentos cada vez mais sofisticados, que é fruto da ação dos sujeitos humanos em interação com o mundo.

À descrição psicológica das estruturas operatórias, Piaget acrescenta mais um elemento para completar sua análise: a formalização lógica destas mesmas estruturas. Os resultados aparecem entre 1942 e 1949 em três publicações, aliás de difícil leitura, porque são textos de lógica formal. Apenas a segunda edição de Ensaio de Lógica Operatória (1972) foi traduzida para o português.

ANOS 1950: UM MARCO EPISTEMOLÓGICO

Dois fatos marcam a década de 1950: a criação do Centro Internacional de Epistemologia Genética (CIEG) e a publicação da primeira síntese epistemológica de Piaget.

O CIEG é fundado em 1955, como centro de pesquisas interdisciplinares. Até 1984, quando é fechado, o CIEG acolhe pesquisadores de várias nacionalidades e áreas do conhecimento: lógica, física, matemática, psicologia, biologia, sociologia, epistemologia etc. A cada ano, define-se um novo tema de estudo e a investigação, interdisciplinar, envolve a discussão dos diversos pontos de vista e pesquisas empíricas com crianças. Os resultados obtidos são discutidos em um simpósio anual, gerando uma publicação, também anual, intitulada Estudos de Epistemologia Genética (EEG). Ao todo foram publicados 37 EEGs entre 1955 e 1980.

Em 1950, Piaget publica sua primeira e grande síntese epistemológica, intitulada Introdução à Epistemologia Genética. Apesar do nome, esta obra nada tem de introdutória e oferece, na verdade, a exposição mais completa das ideias piagetianas acerca da epistemologia genética. Nunca é demais lembrar que o adjetivo genética está associado ao substantivo gênese, no sentido de origem, formação, desenvolvimento; sem relação, portanto, com o ramo da biologia dedicado ao estudo da hereditariedade. A publicação inclui três volumes que abordam o pensamento matemático (v. 1) e o pensamento físico (v. 2); o terceiro trata do pensamento biológico, psicológico e sociológico. Vale notar que a discussão em biologia seria depois retomada em Biologia e Conhecimento (1967).

Importante destacar, desta obra, a exposição dos objetivos e métodos da epistemologia genética, que esclarecem muito o propósito de Piaget. Diferenciando-se da tradição filosófica que aborda questões gerais – o que é o conhecimento? – com base em reflexões e especulações, Piaget propõe examinar como determinadas noções científicas se desenvolvem ao longo do tempo, definindo uma abordagem própria. Pretende, de um lado, criar métodos que se afastem da especulação, fornecendo dados empíricos; e, de outro, propõe voltar às origens, estudar as raízes e acompanhar a formação dos conhecimentos até suas formas mais desenvolvidas. A epistemologia genética recorre ao método histórico-crítico, que examina o desenvolvimento do pensamento coletivo, estabelecendo filiações conceituais ao longo do tempo histórico; e ao método psicogenético, que estuda a construção psicológica dos conhecimentos, em uma escala de tempo ontogenética, relativa ao tempo da vida humana.

Nos anos 1950, Piaget mantém seus compromissos internacionais junto ao Gabinete Internacional de Educação. Em 1952, Piaget é convidado a lecionar na Sorbonne, em Paris, quando aproveita para tratar, entre outros temas, das relações entre inteligência e afetividade. Entre 1954 e 1957, assume a presidência da União Internacional de Psicologia Científica.

À repetida indagação acerca de sua impressionante capacidade de trabalho, Piaget respondia apontando as qualidades de seus colaboradores e, em seguida, explicando que ele era muito ansioso e só encontrava alívio no trabalho. Embora sociável, dizia em sua autobiografia sentir uma imperiosa necessidade de solidão e contato com a natureza. Por isso, nos meses de verão, refugiava-se em seu chalé nas montanhas da região do Valais, aproveitando para realizar longas caminhadas e redigir uma nova obra, resultado dos dados empíricos e debates acumulados durante o ano. Também era hábito seu, após as reuniões de trabalho com seus colaboradores, que costumavam acontecer pela manhã, iniciar o período da tarde com um passeio durante o qual organizava suas ideias.

ANOS 1960 E 1970

Ao mesmo tempo que coordena o Centro Internacional de Epistemologia Genética, Piaget continua a perseguir outros interesses. Publica dois ensaios que aprofundam as questões de epistemologia genética: Sabedoria e Ilusões da Filosofia (1965), Biologia e Conhecimento (1967). De difícil leitura, este último livro tem em Adaptação Vital e Psicologia da Inteligência (1974), infelizmente traduzido apenas para o espanhol ou o inglês, uma apresentação mais organizada do tema.

Em 1965, é publicada a primeira edição dos Estudos Sociológicos (1965), posteriormente ampliada. Nesta coletânea, fica claro que Piaget reconhecia o papel das influências do meio social e das interações intersubjetivas para o desenvolvimento individual. No entanto, argumentava ele, o principal fator de desenvolvimento é a equilibração majorante, isto é, a tendência a um equilíbrio cada vez maior e mais abrangente, ao qual se subordinam inclusive os fatores sociais.

Piaget continua suas investigações psicológicas com Inhelder e outros colaboradores, agora focalizando A Percepção (1963), A Imagem Mental na Criança (1966) e Memória e Inteligência (1968) em suas relações com o desenvolvimento da inteligência. Além disso, destacam-se os estudos complementares sobre A Tomada de Consciência (1974/1978) e Fazer e Compreender (1974), que discutem a relação entre ação e pensamento, agora considerando o conhecimento infantil acerca de suas próprias ações. As publicações do Centro, por sua vez, focalizam a contradição (EEG 31 e 32, 1974), a abstração (EEG 34 e 35, 1977) e a generalização (EEG 36, 1978).

Nessa época, Piaget publica pequenas obras de síntese, com propósito didático e de fácil leitura: A Psicologia da Criança (1966), com Inhelder; O Estruturalismo (1968) e A Epistemologia Genética (1970). Acrescentam-se as recompilações A Psicologia da Inteligência (1947), já mencionada, e Seis Estudos de Psicologia (1964).

Também são dessa época os únicos dois livros de Piaget sobre educação: Psicologia e Pedagogia (1969) e Para Onde Vai a Educação? (1972).

Em agosto de 1976, Piaget completa 80 anos. Seus colaboradores decidem homenageá-lo: perante um júri interdisciplinar e internacional, Piaget defende seu estudo sobre a Equilibração das Estruturas Cognitivas que, como diz o subtítulo, constitui o problema central do desenvolvimento, aliás o 33º Estudo de Epistemologia Genética, publicado em 1975. Neste livro, considerado uma conclusão geral à sua teoria psicológica, Piaget elabora um modelo explicativo sobre a passagem de um determinado nível de conhecimento para outro, considerado melhor.

O ciclo se fecha, enfim, com uma publicação póstuma: Psicogênese e História da Ciência (1983), com Rolando Garcia. Mostrando que os mecanismos de transição de um período histórico para outro são análogos aos mecanismos de transição de um estágio psicogenético para outro, os autores identificam processos e mecanismos cognitivos que se fazem presentes tanto no desenvolvimento psicológico como no desenvolvimento histórico de noções da matemática (álgebra e geometria) e da física clássica (mecânica).

UM HOMEM SIMPLES POR TRÁS DAS HOMENAGENS INTERNACIONAIS

Jean Piaget foi internacionalmente reconhecido, recebendo inúmeros títulos e prêmios. O primeiro título de doutor honoris causa foi-lhe concedido pela Universidade Harvard (EUA), em 1936. Em 1946, a Sorbonne e, em 1949, a Universidade Federal do Rio de Janeiro conferem-lhe a mesma distinção, repetida por mais de trinta universidades nos diferentes continentes.

Mas Jean Piaget era um homem simples.

Aqueles que o conheceram e com ele conviveram costumam dizer que, por trás do pesquisador incansável, havia um homem simples, de vida regular e sem sobressaltos. Aos apetrechos que aparecem em várias de suas fotos, como a boina, o cachimbo e a bicicleta – com a qual se deslocava em Genebra –, acrescentam-se os pesados sapatos que lhe permitiam as caminhadas diárias e, ainda, uma velha e gasta pasta de couro, contendo anotações e sempre algum manuscrito em andamento. Falava com simplicidade e clareza, usando de ironia e humor com facilidade, pouco preocupado com formalidades. Sempre atento às perguntas dos estudantes de seus cursos, respondia pacientemente, levando-os a raciocinar até alcançar as conclusões. Piaget comentava a inesquecível foto do escritório em sua casa, em que a mesa de trabalho praticamente desaparece debaixo de tantos livros e papéis, precariamente equilibrados, dizendo que aquela era uma ordem vital. Quando um jornalista francês perguntou como fazia para encontrar determinado texto, Piaget respondeu, com simplicidade: "eu o procuro. Perco menos tempo procurando o que preciso do que arrumando as coisas todos os dias".

CIRCUITO ATIVO

por Dominique Colinvaux

Influenciada por Bergson e principal referência de Emilia Ferreiro, obra do pensador suíço esteve no centro dos debates do século 20

Os autores desta Genealogia incluem um primeiro conjunto de pensadores influentes na Europa da primeira metade do século XX, com os quais Jean Piaget conviveu nos anos 1920, como aluno e jovem pesquisador. O segundo conjunto de pesquisadores, por sua vez, foi formado em Genebra, alguns tendo se doutorado sob a orientação de Piaget, outros participando do Centro Internacional de Epistemologia Genética.

Henri Bergson (1859-1941)
Filósofo francês, professor do Collège de France, Henri Bergson discute a consciência como fluxo, cuja duração subjetiva não é mensurável, e a vida aparecendo como criadora de formas cada vez mais complexas.

Pierre Janet (1859-1947)
Médico e psicólogo francês, Pierre Janet foi diretor do laboratório de psicologia patológica da Salpêtrière, hospital de Paris, e professor de Psicologia Experimental e Comparativa do Collège de France.

Léon Brunschvicg (1869-1944)
Importante filósofo francês do início do século 1920, professor da Sorbonne, Brunschvicg aliou a história à filosofia para discutir a própria possibilidade do conhecimento, propondo um idealismo crítico.

← Influenciou Piaget

→ Influenciados por Piaget

Annette Karmiloff-Smith (194?)
Pesquisadora em Genebra de 1972 a 1980, atualmente na Universidade de Londres, Annette Karmiloff-Smith propôs em 1992 uma valiosa teoria do desenvolvimento psicológico e investiga agora o desenvolvimento atípico.

Gérard Vergnaud (1933)
Psicólogo francês, atualmente diretor emérito do CNRS – Centro Nacional de Pesquisa Científica, Vergnaud é pesquisador em didática da matemática, tendo elaborado a teoria dos campos conceituais.

Emilia Ferreiro (1936)
Psicóloga argentina residente no México, professora titular do Centro de Investigação e Estudos Avançados do Instituto Politécnico Nacional, Ferreiro investiga os processos infantis de leitura e escrita.

Luci Banks-Leite (1944)
Psicóloga formada na Universidade de Genebra, pedagoga e professora da Unicamp, atual editora da revista Pró-Posições, Luci Banks-Leite estuda a linguagem, especialmente o discurso argumentativo da criança pequena.

Edouard Claparède (1873-1940)
Psicólogo e pedagogo de Genebra, fundador do Instituto Jean-Jacques Rousseau, Claparède propõe uma pedagogia experimental baseada nos conhecimentos da psicologia acerca da criança e seu desenvolvimento.

Principais teses

INTELIGÊNCIA E APRENDIZAGEM

por Fernando Becker

Ao aprender pela própria atividade, o sujeito obterá um surpreendente resultado: aumentar ainda mais sua capacidade de aprender; poderá, pois, aprender conteúdos cada vez mais complexos

Assim como Freud conceituou o inconsciente, Piaget conceituou o consciente investigando processos que o produzem: assimilação, equilibração, abstração reflexionante, generalização, tomada de consciência, para, no final das contas, compreender como o ser humano chega ao conhecimento universal e necessário ou como faz ciência – objetivo eminentemente epistemológico. Reivindica, por isso, para o consciente, estatuto semelhante ao que Freud atribuiu ao inconsciente ao defini-lo como um sistema dinâmico em permanente atividade. Piaget diz que pesquisas da década de 1970 o levaram a reclamar para a consciência poderes parecidos aos que foram atribuídos ao inconsciente.

Podemos dizer que bastaria a trilogia – O Nascimento da Inteligência na Criança; A Construção do Real na Criança; A Formação do Símbolo na Criança – em que Piaget relata os estudos que realizou a partir da observação de seus três filhos, para consagrá-lo como um pensador de primeira grandeza, tal a extensão e a profundidade teórica de suas análises. No entanto, essas pouco mais de mil páginas foram precedidas de algumas obras e sucedidas de dezenas de outras, perfazendo ao todo mais de 20 mil páginas. Quem pode dizer que leu tudo isso?...

Assim como jornalistas referiam-se a Piaget chamando-o de "o Einstein da Psicologia", podemos chamá-lo aqui de o "Darwin do desenvolvimento cognitivo". Ele traz para dentro da psicologia a compreensão de que a capacidade cognitiva humana nasce e se desenvolve; não vem pronta, nem do genoma nem do meio – seja físico ou social. Ele marca uma oposição sistemática, durante toda sua vida, ao behaviorismo e ao neobehaviorismo, por um lado, e à Gestalt, ou teoria do insight, por outro. Se considerarmos, como o faz Piaget, que a capacidade cognitiva humana origina-se da interação sujeito-objeto, a Gestalt, ao contrário, considera que essa capacidade é determinada *a priori* (apriorismo) e a experiência não a modifica, isto é, ela centraliza a explicação no sujeito anulando quase toda a participação do mundo do objeto; enquanto o (neo)behaviorismo, na medida em que considera o sujeito tábula rasa e atribui ao meio a sua determinação, faz o contrário: absolutiza o meio, a experiência entendida como sensação (empirismo), anulando o sujeito que não passa de resultante dos decalques dos estímulos ambientais ou dos reforços administrados, por exemplo, pela escola. Em tudo coerente com a afirmação de Hobbes: "Nada há na inteligência que primeiro não tenha passado pelos sentidos".

INTERAÇÃO E CONHECIMENTO

A ideia piagetiana de desenvolvimento, ao contrário, propõe que o conhecimento, ou melhor, a capacidade cognitiva, não nasce no sujeito, nem no objeto, mas tem início numa zona periférica em que esses polos começam a interagir. Isso é, o recém-nascido não sabe quem ele é, como também não sabe quem é a mãe; para ele, ele e a mãe são um todo indiferenciado, uma amálgama. Pode-se dizer que, para o bebê, sujeito e objeto são projetos que levarão os próximos 10 ou 15 anos para se realizarem; para que se configurem e consolidem as estruturas básicas, tanto do objeto quanto do sujeito; estruturas ao mesmo tempo cognitivas e afetivas que tornarão possível a vida adulta.

Podemos imaginar um sujeito humano sem noção de espaço objetivo – capacidade de conceber um objeto existindo independente da própria percepção? Pois essa noção só aparece no bebê por volta dos 8 a 9 meses e, a partir de então, sofrerá profundas modificações em função de sua atividade adaptativa, perfazendo sub-estádios e estádios de desenvolvimento. Com Piaget, podemos afirmar que entre a gênese da noção de espaço, no bebê Albert, e a teoria da relatividade, no adulto Albert (Einstein), houve estrita continuidade. Antes dos 8 ou 9 meses, o bebê se comportava como se esse espaço objetivo simplesmente não existisse. Se o objeto desaparece de seu campo perceptivo, para o bebê ele não existe mais. Agora, ao contrário, ele passa a admitir a existência de um lugar permanente onde "moram" os objetos, também permanentes. Essas noções de objeto permanente e de espaço objetivo resultam da atividade assimiladora e acomodadora do bebê e não de uma faculdade inata. O bebê não nasceu com elas, nem elas provieram por aprendizagem do meio; ele as construiu. Essas noções transformam tão profundamente a vida do bebê que Piaget as chamou de "revolução copernicana".

Pode-se imaginar um ser humano sem capacidade simbólica – capacidade de representar, imitar, brincar, desenhar, falar? Essa capacidade não existia até por volta de 2 anos. Tal como a noção de espaço, ela nasce da atividade sensório-motora da criança. Aliás, Piaget, na contramão de uma forte tradição filosófica, presente também em psicologias, propõe que a lógica não nasce da linguagem, mas da ação e das coordenações das ações; a linguagem entra tardiamente nesse processo exercendo poderosa influência, mas não como gênese. O estádio sensório-motor exibe uma lógica exuberante, num tempo em que a linguagem ainda não dispunha de sua condição de possibilidade: a função semiótica (1945).

A CONSTRUÇÃO DE CAPACIDADES

Podemos imaginar um ser humano sem capacidade de enumerar ou contar objetos? Pois essa capacidade nasce das atividades de classificação e seriação, amplamente exercitadas no brinquedo (organizar uma casinha de bonecas, fazer um estacionamento de carrinhos etc.), e dificilmente antes dos 5 anos de idade. Assim, todas as capacidades cognitivas que fazem de nós seres pensantes, capazes de fazer escolhas, tomar decisões, fazer e realizar projetos, organizar partes móveis no âmbito de um todo qualquer, falar unindo sujeitos a predicados utilizando milhares de palavras, são construídas; não existiam por ocasião do nascimento. Não herdamos todas essas capacidades, mas herdamos a capacidade para construir tudo isso. E, depois de serem construídas pelo sujeito, continuam a se expandir em quantidade e qualidade; isso é, generalizam-se sem nunca se poder dizer que esse processo esteja concluído. O ser humano não é; ele se faz. O que Darwin afirmou para a dimensão filogenética, para as espécies, Piaget o afirma para a dimensão ontogenética, para os indivíduos, especificamente, para a dimensão cognitiva dos seres humanos. A repercussão disso sobre a educação é apenas um passo.

Piaget discute amplamente essa herança darwiniana numa obra monumental: Biologia e Conhecimento (1967) e, mais tarde, no Adaptation Vitale et Psychologie de l'Intelligence e em O Comportamento, Motor da Evolução (1976), obras em que tece duras críticas ao neodarwinismo recente e propõe um "tertium" para além do darwinismo e do lamarckismo, pela sua teoria da fenocópia: "Vemos assim que a fenocópia não consiste de modo nenhum numa 'fixação' hereditária do fenótipo, mas numa substituição deste por uma reconstrução endógena sem ações diretas de tipo lamarckiano".

ELEMENTO TRANSFORMADOR

É assim que a influência do meio vai sendo anexada progressivamente ao sujeito pela ação deste; não anexação direta do meio, mas sínteses progressivas construídas a partir das repercussões produzidas pela assimilação do meio.

É este o sentido do título da obra de Montangero e Maurice-Naville: Piaget ou a Inteligência em Evolução. Significa que a Epistemologia e a Psicologia genéticas são um sistema aberto, em evolução. Há um elemento transformador no cerne da metodologia piagetiana. Na medida em que as assimilações cognitivas, que integram o meio físico ou social, prolongam-se em acomodações que, por sua vez, redundam em transformações não apenas do que foi assimilado, mas da própria estrutura assimiladora, o sistema se renova incessantemente. O método clínico (observação clínica até a idade em que a criança não consegue fazer uso da linguagem para ser interrogada utilmente) procura sempre o resultado desse processo nos sujeitos particulares, isto é, nos indivíduos ou organismos que assimilam o entorno e se transformam em função dessas assimilações; colhe, pois, transformações realizadas pelas ações do sujeito, sobre o meio e sobre si mesmo. Para esses autores, assim como o sujeito vai construindo patamares progressivamente complexos, cujas testemunhas principais são os estádios do desenvolvimento cognitivo, assim também se podem reconhecer estádios na obra de Piaget: 1. um primeiro período que vai dos anos 1920 e começo dos anos 1930 (a inteligência infantil e a formação progressiva do pensamento); 2. um segundo período que vai dos anos 1930 e se estende até 1945 (os inícios do conhecimento e o paralelo entre o desenvolvimento intelectual e a adaptação biológica); 3. um terceiro período que vai do final dos anos 1930 ao final dos anos 1950 (a análise estrutural a serviço do estudo da formação das "categorias" de conhecimento); 4. um período de transição que vai do final dos anos 1950 ao final dos anos 1960 (do primado das estruturas operatórias ao interesse pelos mecanismos do desenvolvimento); 5. um quarto período que se estende pela década de 1970 (as múltiplas maneiras de explicar o progresso dos conhecimentos), desenvolvendo as seguintes temáticas: contradição (1974), tomada de consciência e relações entre fazer e compreender (1974), adaptação vital (1974), comportamento motor da evolução (1976), equilibração (1976), abstração reflexionante (1977), generalização (1978) – obras revolucionárias, infelizmente desconhecidas da ampla maioria dos neurologistas e geneticistas e, até, de muitos piagetianos.

Se, por um lado, Piaget herda a crítica kantiana (o conhecimento começa na experiência, mas dela não deriva), por outro, ele insere nessa herança o evolucionismo darwiniano produzindo um "kantismo evolutivo", que transforma o *a priori* kantiano em *a priori* construído. De acordo com Zélia Ramozzi-Chiarottino, entretanto, seu evolucionismo viria da Teoria da Epigênese de Waddington "que admite um 'tertium' entre a mutação aleatória e a transmissão dos caracteres adquiridos de Lamarck", configurando um movimento evolutivo pela atividade adaptativa – assimilações e acomodações – do organismo, em função das exigências do meio: "Essa terceira possibilidade é a de que, no genoma de cada espécie, num determinado momento, estariam contidas todas as suas possibilidades de vida, mas que se atualizariam, ou não, em função das exigências do meio para a sobrevivência daquela mesma espécie".

Para Ramozzi-Chiarottino, Piaget teria ido ainda mais longe, já na década de 1960, ao afirmar "a importância do RNA em relação ao DNA"; em pesquisa recente, ela comprovou a influência do meio no núcleo da célula, dando razão à hipótese de Piaget. É bom chamar a atenção que tal posição soa aos ouvidos do neodarwinismo atual como heresia pura.

Essa discussão mostra, entre outras coisas, que a epistemologia e a psicologia genéticas piagetianas afirmam, por um lado, as raízes biológicas da atividade cognitiva humana sem jamais, por outro, reduzir-se a biologismos. É nesse aspecto que elas se qualificam atualmente para o diálogo entre a psicologia e a epistemologia e as neurociências. Considerando inegociável, porém, a ideia de desenvolvimento ou de evolução por força do comportamento ou ação do sujeito.

DESENVOLVIMENTO COGNITIVO E EDUCAÇÃO

Piaget é amplamente conhecido na educação. Sua presença nunca é indiferente, inócua; sempre gera conflito. É amado ou odiado. E quase sempre não compreendido. "O que sobretudo foi mal compreendido é a noção essencial de construção, a ideia segundo a qual estruturas [capacidades] novas que não existiam nem no sujeito nem no objeto e que são construídas", de acordo com o próprio Piaget. Estruturas que não estão prontas no genoma, o que determinaria *a priori* o sujeito, nem no meio, o que possibilitaria que fossem aprendidas.

Compreender um autor cuja produção ultrapassa 20 mil páginas (mais de 60 livros, centenas de artigos) é um desafio permanente para quem assume a responsabilidade de interpretá-lo, divulgá-lo. Ramozzi-Chiarottino, referindo-se a um evento em que "neo-piagetianos" apresentaram Piaget como um neodarwinista, diz: "Lamarck foi citado, mas Piaget ficou no ostracismo por incompetência de seus divulgadores". A tarja da incompetência pode ser colada em (quase) todos seus intérpretes, pois a extensão da obra permite diferentes ênfases, nem sempre coerentes entre si, na dependência do conjunto de obras privilegiado pelos estudiosos. Na entrevista a Jean-Claude Bringuier (1977), frente à afirmação: "O senhor tem sido reconhecido quase universalmente!", Piaget diz: "Reconhecido, você sabe... (silêncio). Isto [as honras] agrada, certamente, mas é bastante catastrófico quando se vê a maneira pela qual se é compreendido!".

FALSA POLARIZAÇÃO

Um lugar de grandes incompreensões é certamente a educação; em especial, o ensino. Talvez, pela crítica contundente que a Escola Nova fez, sobretudo no início do século XX, à chamada educação tradicional, praticada por um ensino autoritário, Piaget, na medida em que criticou duramente essa educação, tenha sido interpretado como um não diretivista, um espontaneísta. Se o diretivismo é a expressão de um ensino autoritário, herança do século XIX – o professor dita e o aluno copia e repete (Paulo Freire chama-o de educação bancária) –, o não diretivismo pretende fazer o contrário: entregar tudo ao espontaneísmo. Se o diretivismo entende que "o professor ensina e o aluno aprende", o não diretivismo põe o ensino e seus correlatos, como a avaliação, na berlinda e passa a pregar que a criança aprende por si mesma e que o professor precisa apenas organizar situações para isso; daí para dizer que não se deve dar aula expositiva, lição de casa, avaliar etc. é apenas um passo. Dispensa dizer que tal postura funda-se num flagrante apriorismo que se manifesta num laissez-faire e que a magnífica ideia piagetiana de interação, que pode ser traduzida didaticamente pela invenção de ações desafiadoras, foi deixada para trás. Mas a escola, acostumada com conceitos frouxos, com práticas tradicionais pouco pensadas e avessas à reflexão sistemática, não consegue compreender que existe algo além da polarização diretivismo *versus* espontaneísmo.

Assim, esse pseudo-Piaget entrou na escola para legitimar um apriorismo epistemológico através de uma pedagogia não diretiva, espontaneísta – talvez para fazer frente ao diretivismo extremado em franco desenvolvimento, fundado em proposições neobehavioristas, propostas e sustentadas politicamente por uma ditadura, especialmente na década de 1970. E a contribuição de Piaget, utilizada para sustentar esse não diretivismo, foi sua "teoria" dos estágios (não estádios). "Estágio" significa que o "desenvolvimento" acontece por períodos fixos, geneticamente determinados. (No senso comum, "estágio" significa treinamento, em geral de curta duração, que se faz para adquirir alguma habilidade.) Quando a criança chega a uma idade x, automaticamente começará a falar; a uma idade y, será operatória concreta etc.; tudo à semelhança do que acontece com a maturação do organismo: pelos 4 meses, a criança consegue levar um objeto à boca, com 6 meses consegue sentar-se sem que alguém a ampare, com 10 meses, a rastejar e logo engatinhar, com 1 ano a caminhar, um pouco mais, a correr etc. Numa palavra, Piaget foi reduzido a um maturacionismo, nada diferente do convencional. Infelizmente, longe, muito longe, do poder constitutivo que o autor atribui à ação do sujeito cuja força deveria estar no cerne de qualquer proposta pedagógica que invocasse Piaget como mentor.

A ação do sujeito compõe-se de duas ações correlatas: a assimilação e a acomodação. Na ação assimiladora o sujeito dirige-se ao meio e busca algo que lhe diz respeito, de que necessita ou deseja – não busca qualquer coisa, escolhe. Portanto, a assimilação nunca é caótica; ela é organizadora. Sob o ponto de vista das teorias estímulo (E)-resposta (R), podemos dizer que não é o E que determina a resposta, mas o esquema assimilador ou a estrutura assimiladora que escolhe a coisa ou evento a assimilar; é ela que define o que é estímulo. Uma coisa ou evento não é E enquanto o esquema assimilador não o constituir como tal. Piaget chega a dizer que, de certa forma, a R já existia antes do E porque ela emerge da organização do sujeito; não é gerada pelo estímulo. O E tem função sinalizadora, não constitutiva. Isso não diminui a importância do meio, ao contrário, pois não há resposta sem assimilação.

A coisa ou evento assimilado, ao mesmo tempo que preenche uma necessidade do sujeito, traz algo novo, estranho, diferente, outro. Resta ao sujeito o incômodo (desequilíbrio) de não conseguir responder à altura a essas diferenças ou alteridades. Como o sujeito não pode mudar essa realidade, apela a outro jeito para resolver a situação e retornar ao equilíbrio: ele se modifica para assimilar a contento a coisa ou evento que causou perturbação. Essa transformação do sujeito em função do que assimilou chama-se acomodação. A acomodação consiste em transformação do esquema ou estrutura para dar conta das estranhezas do meio; portanto, ela realiza uma diferenciação. Isto é, o esquema ou estrutura anterior se transforma em função do que foi assimilado. E se transforma para melhor – equilibração "majorante" dirá Piaget.

Se, por um lado, Piaget centraliza sua explicação do desenvolvimento na ação do sujeito, por outro, ele atribui ao meio – físico ou social – enorme importância, pois suas exigências redundam em diferenciações do sujeito.

UMA NOVA FILOSOFIA DA EDUCAÇÃO

O desenvolvimento segue dois caminhos correlatos. Pelas assimilações, o sujeito dirige-se ao mundo do objeto – meio físico ou social. Isto é, o sujeito consegue avançar na direção do centro dos objetos, ou seja, conhecê-los cada vez mais, instrumentalizado pelas acomodações. Por estas, ele se dirige na direção do interior do sujeito, isto é, aumenta cada vez mais sua capacidade de conhecer e de conhecer-se. Em outras palavras, explorando o mundo ao redor (assimilação) ele consegue constituir seu mundo interno, sua subjetividade. Conhecendo melhor o mundo, conhece melhor a si mesmo; e, consciente de si, poderá conhecer melhor o mundo. A compreensão dessa dialética, inerente ao próprio desenvolvimento cognitivo, gera uma concepção de aprendizagem profundamente diferente, senão oposta, às concepções vigentes no senso comum, inclusive no "senso comum" escolar ou acadêmico e, até, das psicologias vigentes.

Vemos como Piaget constrói caminhos que têm tudo a ver com a educação. Não seria exagero afirmar que ele constitui uma filosofia da educação que pode se desdobrar numa pedagogia e esta numa didática; e assim revolucionar a escola. Para quem quer conhecer um pouco desse Piaget educador, sugiro conferir seus ensaios educacionais: Para Onde Vai a Educação (1948); Psicologia e Pedagogia (1969); Sobre Pedagogia; Textos Inéditos (1998), além de seu texto Aprendizagem e Conhecimento (1959), escrito em parceria com Pierre Gréco.

Segundo essa concepção, não há diferença fundamental entre o conhecimento do indivíduo antes de ingressar na escola e o que acontece no processo escolar. Há estrita continuidade entre aquele e este. Urge, pois, que o professor saiba, minimamente, como acontece o conhecimento antes de o indivíduo tornar-se aluno; isto é, desde o nascimento até seu ingresso na escola. Significa, também, que, se o desenvolvimento é movido pela ação do sujeito – "pelo comportamento, motor da evolução" –, a aprendizagem deverá ser compreendida e praticada como um processo ativado por essa mesma ação. Na medida em que a escola se alinhar e se instrumentalizar para atender à dinâmica dessa concepção construtivista, promoverá a descentração e a autonomia, ao contrário do que acontece na escola atual que promove a dependência e a heteronomia (atitude moral regida por regras que vêm de fora, da autoridade e são seguidas rigidamente). Centralizando os processos pedagógicos na ação e na cooperação, que possibilitam a criatividade e a inventividade, supera a velha escola que centraliza seus processos no ditado e na repetição do que já está pronto, cobrando obediência e estimulando a submissão. A nova escola se realizará por uma variedade de laboratórios e poucos auditórios tendo sempre em vista a autonomia do educando.

Nos estudos sobre os mecanismos da abstração reflexionante – a capacidade humana de retirar das coordenações das próprias ações os mais avançados instrumentos do pensar –, Piaget mostra como a ação do sujeito, funcionando por reflexionamentos e reflexões, cria novidades, formas novas de conhecimento, de estruturas novas ou novas capacidades: "a abstração reflexionante consiste em introduzir, em novos objetos, propriedades que eles não possuíam, seja porque são tiradas das construções de níveis precedentes, seja, sobretudo, porque sua reorganização consegue construir novas formas que engendram, então, novos conteúdos".

DESENVOLVIMENTO COGNITIVO, ENSINO E APRENDIZAGEM

Para Piaget, o desenvolvimento do conhecimento dá-se por um processo espontâneo, ligado ao processo global da embriogênese – desenvolvimento do corpo, do sistema nervoso e das funções mentais. Ele opõe-se à afirmação tão comum de que o desenvolvimento configura-se como uma soma de experiências de aprendizagem. Ao contrário, o desenvolvimento explica a aprendizagem, pois ela é um processo que depende em tudo das estruturas do conhecimento.

É importante esclarecer o que Piaget entende por "espontâneo". Imaginemos uma criança de 4 anos. Ela levantou-se pela manhã, pegou um dentre seus vários brinquedos e brincou com ele, por mais de uma hora. Durante anos, escolhia carrinhos para brincadeiras diversas que podiam durar horas; às vezes, alternava trocando de carro ou brincando com vários ao mesmo tempo, fazendo filas, estacionamentos. Efetuava lavagens: enfileirava os carrinhos, molhava-os e os ensaboava, fazendo com eles nova fileira; o mesmo com os enxaguados que dispunha, então, em forma de estacionamento, para secagem. Sem nunca alguém precisar dizer qualquer coisa a respeito. Isso é espontâneo para Piaget. Ao agir assim a criança responde a necessidades suas, utilizando o meio, assimilando-o; o meio não age diretamente sobre ela, senão através de seus esquemas assimiladores.

Aprendizagem, então, é o oposto do desenvolvimento. É provocada por situações, criadas por um profissional, como um professor com sua didática. Opõe-se, pois, a espontâneo e é limitada a um problema simples. Cada elemento da aprendizagem ocorre como uma função do desenvolvimento total. Uma vez que depende em tudo do desenvolvimento, é um processo secundário. O desenvolvimento é o processo principal; é ele que abre possibilidades para o processo de aprendizagem e não o contrário.

Nessa compreensão, conhecimento e pensamento não são cópias da realidade. "Conhecer um objeto é agir sobre ele, modificá-lo, transformá-lo e compreender o processo dessa transformação, compreendendo o modo como o objeto foi construído", diz Piaget. Ou seja, "pensar é agir sobre o objeto e transformá-lo". Para isso, deve-se compreender a ideia de uma operação. A operação resulta do processo de interiorização das ações. Ao ser interiorizada, a ação torna-se reversível e adquire a capacidade de modificar o objeto de conhecimento. A internalização do meio, físico ou social, da cultura ou da ciência só será possível pela interiorização das ações em operações cada vez mais complexas e mais capazes; e sempre desafiadoras. Significa que a capacidade inteligente do ser humano não provém simplesmente de estruturas *a priori*, a modo da Gestalt, nem da pressão do meio externo, a modo das teorias E-R, mas das ações e das coordenações das ações do sujeito; é assim que nasce a lógica, possibilitada pelas operações, e o pensamento enquanto sistema de conceitos. Pode-se dizer que os conceitos são a possibilidade do pensamento e a lógica sua organização e direção.

Uma operação coordena-se com outras operações formando estruturas – de classificação, de seriação, de número etc. O problema essencial do desenvolvimento é, então, compreender a formação, a elaboração, a organização e o funcionamento dessas estruturas. Há fatores que explicam a passagem de um conjunto de estruturas para outras. O primeiro é a maturação, cuja importância não pode ser subestimada, pois ela é condição necessária do desenvolvimento; porém, não é condição suficiente, isto é, por si só ela não explica o desenvolvimento ou a passagem de uma série de estruturas cognitivas para outras mais complexas. Na pesquisa da epistemologia do professor de matemática, encontramos docentes explicando as aprendizagens dos alunos por maturação. Diz a professora de ensino médio: "Para uma situação mais complexa a criança tem que ter maturidade. É com o tempo [que se dá] a maturação da criança, do adolescente; ele não vai entender logo se o corpo dele, a cabeça dele, não estiver preparado".

Outro fator diz respeito a duas das modalidades da experiência: a física e a lógico-matemática. Experiência física é agir sobre os objetos e retirar deles qualidades que eles têm (cor, forma, tamanho, peso, densidade etc.), antes de o sujeito agir sobre eles. Experiência lógico-matemática é, também, agir sobre os objetos, mas para retirar, não mais dos objetos, mas das ações e das coordenações das ações do sujeito, qualidades dessas ações e coordenações. O sentido profundo desse conceito, na obra de Piaget, pode ser expresso com a afirmação de Aldous Huxley: "Experiência não é o que se fez, mas o que se faz com aquilo que se fez". Experiência lógico-matemática consiste em apropriar-se do que se fez, tomar posse da ação, da própria prática. A sabedoria, pois, não está apenas na prática; está principalmente naquilo que se faz com a prática. Um professor de matemática de Educação Básica afirma: "para a escola se tornar realmente um lugar onde se aprende matemática, tem que passar por uma grande reformulação [...]. A escola teria que ser um ambiente de experimentação, praticamente um laboratório o tempo todo". É próprio do laboratório apropriar-se da prática dando-lhe um novo sentido, transformando-a em saber.

Como fator indispensável, há a transmissão social; mas ela também não é suficiente. Um professor pode ensinar e o aluno não aprender. Um programa de televisão pode trazer uma interpretação da política dos países desenvolvidos para o continente africano e o telespectador não a compreender. O professor de Física pode falar do LHC (Large Hadron Collider), o Grande Colisor de Hádrons, e os alunos nada entenderem; não apenas porque lhes faltam pré-requisitos, mas porque não construíram instrumentos cognitivos suficientes. Para que os alunos compreendam, precisarão construir estruturas que os tornem capazes de assimilar esses conteúdos, assimilando sua organização lógica. Como diz um professor universitário: "Eu sou crítico da palavra 'transmitir' [...]. Transmissão de conhecimento matemático transforma-se numa transmissão de conceitos matemáticos que são, vamos dizer assim, definições pontuais... às vezes tu te vês obrigado a transmitir conceitos para ir adiante e construir conhecimento". Conceitos não se transmitem, constroem-se. Para alguém assimilar um conceito transmitido precisa ter construído estrutura equivalente à complexidade desse conceito. Por isso, Piaget diz que a transmissão social é fator fundamental do desenvolvimento cognitivo, mas não suficiente para explicá-lo.

Por último, existe a equilibração, que acontece sempre em dois momentos: assimilação e acomodação, e a abstração reflexionante, por reflexionamento e reflexão. Assumiremos, aqui, o que essas díades têm em comum, detendo-nos no reflexionamento/reflexão. Reflexionamento, segundo Piaget, é "a projeção sobre o patamar superior daquilo que foi tirado do patamar inferior", enquanto reflexão é o "ato mental de reconstrução e reorganização sobre o patamar superior daquilo que foi assim transferido do inferior"; surge daí algo novo. Piaget considera a equilibração ou a abstração reflexionante os fatores mais importantes, pois são condição suficiente da aprendizagem. Quando o sujeito consegue realizar um equilíbrio entre assimilação e acomodação, ou entre reflexionamento e reflexão, ele contou com a maturação, com a influência social e com a experiência, física ou lógico-matemática. A ideia de um processo construtivo é rara entre docentes, embora frequente no seu discurso. A compreensão de que o sujeito resulta de um processo de construção do organismo que projeta sua autorregulação para o plano psicológico onde constrói estruturas cognitivas aparece fragmentado no discurso docente, muito longe de uma compreensão articulada.

A relação mais fundamental entre desenvolvimento e aprendizagem não é, insiste Piaget, a de associação, própria do esquema E-R (estímulo-resposta), ou do reforço externo, mas a de assimilação que consiste na "integração de qualquer espécie de realidade em uma estrutura". É nesse sentido que Piaget critica o esquema E-R e afirma que o mínimo que se deve fazer é inserir nele a assimilação. Assim, E – [A] – R significa que um estímulo só poderá modificar algo no sujeito se ele for assimilado [A] por esse sujeito. Para que o sujeito seja modificado por um evento externo, por um estímulo, deverá ter construído uma estrutura capaz de assimilar esse evento. Caso contrário, esse evento ou esse estímulo não poderá afetá-lo como evento desequilibrador; ou, o que dá no mesmo, uma acomodação será impossível.

Por isso, a assimilação é, para o autor, a relação fundamental do ponto de vista das aplicações pedagógicas ou didáticas. Tudo deverá ser feito pela docência para que o aluno possa assimilar aquilo que o professor ensina, isso é, agir sobre o conteúdo ensinado. Se ele não puder assimilar, por não estar preparado estruturalmente para aquele conteúdo, não aprenderá. De nada adianta fazer treinamento motivacional, por exemplo.

A criança, ou qualquer sujeito de aprendizagem, devem ser concebidos sempre como ativos. A ilusão docente reside na crença do professor de que, ensinando, o aluno aprenderá – desde que repita o conteúdo ensinado "tantas vezes quantas forem necessárias...", como formulava Thorndike (1874-1949): "a associação exercitada com maior frequência sob idênticas condições será a mais utilizada pelo sujeito". Acontece que a repetição não é garantia de compreensão ou assimilação. A fórmula da velha escola, ainda amplamente praticada, "Repetindo se aprende", deverá ser substituída por "Assimilando se aprende". Pode-se, também, substituí-la por: "Deve-se repetir somente o que se assimilou", isto é, o que se compreendeu. Assimilar significa atribuir sentido a alguma coisa ou, o que dá no mesmo, significar um conteúdo. É isso que abre as portas da acomodação, ação complementar da ação assimiladora, produzindo repercussões sobre o processo de desenvolvimento. Este é o caminho para alguém tornar-se sujeito de aprendizagem: agir sobre o conteúdo ensinado e se transformar em função dessa ação.

A operação é uma atividade e a aprendizagem só existe quando há assimilação ativa. O aluno é iludido pelo professor sempre que, passivamente, acompanhar a atividade docente. Enquanto o aluno não agir, ele mesmo, por assimilações e acomodações, reflexionamentos e reflexões e tomadas de consciência, alimentará essa ilusão. Se ele não agir, não aprenderá e o professor poderá ser responsabilizado por não abrir espaço para a verdadeira atividade do aluno. Em sua formação, o professor deve aprender a fazer isso – aprender que sua atividade não deverá jamais substituir a atividade do aluno; deverá, sim, promovê-la.

SUJEITO, OBRA DE SI MESMO

A busca da compreensão de como se passa de um conhecimento mais simples a um mais complexo levou Piaget a investigar uma quantidade impressionante de temas, cada um deles de extraordinária complexidade: representação do mundo, juízo moral, nascimento da inteligência, formação do símbolo, construção do real, noção de tempo, movimento e velocidade, estruturalismo, juízo e raciocínio, estudos sociológicos, procedimentos e estruturas, formas elementares da dialética, correspondências, origem da ideia de acaso, causalidade, classes, relações e número, estruturas lógicas elementares, lógica da criança, do adolescente, lógica operatória e das significações, construção do número, imagem mental, psicogênese e história das ciências, linguagem e pensamento, raciocínio, representação do espaço, geometria espontânea, aprendizagem e conhecimento, mecanismos da percepção, imagem mental, lógica e conhecimento científico, biologia e conhecimento, estruturalismo, memória e inteligência, contradição, tomada de consciência, fazer e compreender, equilibração, comportamento motor da evolução, abstração reflexionante, generalização, morfismos e categorias, possível e necessário, afetividade e inteligência, implicação significante.

Aqui vimos um desses temas: as relações entre aprendizagem e desenvolvimento, de interesse da educação. Se, como afirma Piaget, a ação tem êxito precoce com relação à compreensão, a partir de certo nível, na medida em que se formam e se generalizam conceitos, invertem-se as relações e a conceituação passa a influenciar decisivamente a ação, fornecendo-lhe objetivos e planos de ação. É esse o sentido da afirmação de Piaget de que a tomada de consciência inverte a ordem da gênese; isto é, o que vinha primeiro, na ordem da gênese – a ação com seu êxito precoce –, vem depois, na nova ordem das construções conceituais mediante regulações ativas; a ação que gerava a conceituação passa, agora, a ser gerada por ela, em nível mais elevado, sofrendo transformações originárias da tomada de consciência.

Vimos como a aprendizagem depende estritamente do desenvolvimento, e este da ação do sujeito; ação que brota da necessidade sentida por ele ou, o que dá no mesmo, de sua estrutura cognitiva. O sujeito nasce e se desenvolve por força da própria ação. Como dizia Giambatista Vico (1668-1774): "A humanidade é obra dela mesma". Parafraseando esse filósofo, podemos dizer, coerente com Piaget: o sujeito é obra dele mesmo. É ela que o habilita a aprender qualquer coisa. Ao aprender pela própria atividade, logrará um surpreendente resultado: aumentar ainda mais sua capacidade de aprender; poderá, pois, aprender conteúdos cada vez mais complexos.

Pode-se imaginar, pois, quão profundas terão de ser as transformações da escola para fazer justiça à explicação do desenvolvimento e da aprendizagem humanos da Epistemologia Genética piagetiana.

Contribuições para a educação

DESAFIOS DA ESCOLA ATUAL

por Lino de Macedo

Considerar fatores e processos de desenvolvimento é muito importante hoje para tudo que se ensina e se aprende numa escola que se quer para todos

Atualmente se deseja uma educação básica para todas as crianças e jovens. Ela é vista como direito, necessidade social e política, reconhecimento de que a escola não pode mais continuar exclusiva de alguns, nem marca de desigualdade, um lugar onde só os julgados mais aptos podem ficar e aprenderem até o fim. Com isto, está se rompendo com uma função "consagrada" nas escolas que compunham a educação básica: formar e selecionar, via exclusão ou repetência, apenas os alunos que tivessem condições de prosseguir em seus estudos superiores. Como se trata, agora, de um direito de todas as crianças e jovens, o compromisso da educação básica é primordialmente formar alunos preparados para as exigências da vida e não apenas da escola seguinte.

Segundo Antoni Zabala e Laia Arnau, uma das consequências desta nova responsabilidade social é a necessidade de integração ou fusão das duas formas de escola fundamental constituídas ao longo do século passado. Uma delas, eles identificaram como "escola tradicional", reconhecida por seu foco nos conhecimentos e valores a serem transmitidos, mesmo que ao preço da exclusão dos avaliados como menos "aptos" para isto. A outra, designaram "escola inovadora", reconhecida por seu foco nas dificuldades ou potencialidades das crianças sem lugar naquela escola. A razão é que na escola tradicional a ênfase está no ensino do que necessita ser aprendido, ao preço da exclusão dos alunos que não conseguirem desenvolver, "por si mesmos", métodos e recursos para tais aquisições. Na escola inovadora, a ênfase está nos processos de aprendizagem, no "ensino" de métodos e recursos que possibilitem as crianças aprenderem aquilo que todos precisam aprender, por seu valor de vida.

Para Zabala e Arnau, o desafio da escola comprometida com as necessidades do século XXI é reunir os aspectos positivos da escola tradicional (ensino "forte" dos objetos do conhecimento) e os da escola inovadora (valorização "adequada" dos processos de aprendizagem). É também cuidar para superar os aspectos negativos de ambas; por exemplo, verbalismo, memorização, em um caso; e "ativismo" e desinteresse por resultados, no outro. Para eles, esta integração se expressa no desenvolvimento de competências e habilidades dos alunos no contexto de sua educação básica. E isto, por duas razões. Primeiro, competências e habilidades, na educação básica, são desenvolvidas nas disciplinas escolares e, portanto, estão comprometidas com o ensino de noções e procedimentos próprios a cada matéria ou área de conhecimento. Segundo, os processos de aprendizagem não mais dão prioridade aos conteúdos que são ensinados, mas valorizam igualmente a construção dos recursos cognitivos, sociais e afetivos necessários para essas aquisições. Assim, o ensino fundamental não estará apenas voltado para a preparação dos estudos superiores, mas também comprometido com as exigências da vida, qualquer vida. Em outras palavras, a escola dos "vencedores" (que domina os fins) e a dos "vencidos" (que se concentra nos meios) comporão, agora, uma única escola: a dos viventes, com direito ao melhor de suas possibilidades e necessidades. Não será mais uma educação básica ao serviço dos interesses de uma classe "superior", a elite, mas uma educação voltada ao que é desejável em todas as classes, ou seja, para todas as pessoas.

RELAÇÕES ENTRE ENSINO, APRENDIZAGEM E DESENVOLVIMENTO

Na educação básica, o binômio ensino-aprendizagem pareceu sempre suficiente para sintetizar seus compromissos em favor do desenvolvimento das crianças, isto é, das pessoas. Não importa se, na escola tradicional, esta busca tenha recaído sobre os processos de ensino ou de transmissão dos conhecimentos a aprender; nem que, na escola inovadora, esta busca tenha recaído sobre os processos de aprendizagem ou de construção dos meios para aprender. Ensino e aprendizagem compunham uma dupla indissociável, como faces de uma mesma moeda, mesmo que para uns valesse mais a "cara", e para outros, a "coroa". Ocorre que, implícita ou explicitamente, uma terceira variável, frequentemente negada ou desfavorecida, esteve e estará sempre presente nos processos de ensino e de aprendizagem. Trata-se da variável processos de desenvolvimento de quem ensina e de quem aprende. Pela negação deste processo, supunha-se que o professor já soubesse ou devesse saber "tudo" sobre o que se comprometeu em transmitir. Hoje se reconhece a importância de práticas contínuas de formação de professores e gestores, apesar das dificuldades de sua efetivação. Do mesmo modo, por se negar os processos de desenvolvimento, supunha-se que o aprendiz nada sabia ou havia pensado a respeito do que estavam lhe ensinando. Na escola das competências e habilidades, esta terceira variável é tão fundamental quanto as duas primeiras: ensino, aprendizagem e desenvolvimento formam, agora, uma tríade – irredutível, complementar e indissociável – de um sistema de educação escolar que se quer para todas as pessoas.

Um dos motivos desta negligência em relação aos processos de desenvolvimento decorre, talvez, do fato de que eles podem se compor com processos de ensino e aprendizagem de vários modos. Pode-se, por exemplo, pensar desenvolvimento e aprendizagem como uma coisa só, negando a possibilidade e o interesse em se considerar, na escola, variáveis relativas aos processos de desenvolvimento que não se reduzem aos da aprendizagem, como demonstrou Piaget, em Aprendizagem e Conhecimento (1959). Neste caso, como aconteceu na escola tradicional, a ideia é que desenvolvimento e aprendizagem são indiferenciados e, além disto, subordináveis aos esforços de transmissão ou ensino. Do lado oposto, pode-se, como fez a escola inovadora, subordinar o ensino aos processos de desenvolvimento e aprendizagem, esta última, muitas vezes, reduzida a fatores (inibidores) do desenvolvimento. Em outras palavras, no primeiro caso, ensino implica aprendizagem, que implica desenvolvimento, ou, então, ensino implica aprendizagem e desenvolvimento. No segundo caso, desenvolvimento implica aprendizagem, que implica ensino, ou, então, aprendizagem e desenvolvimento implicam ensino. A proposta de uma educação básica, pautada no desenvolvimento de competências, é tratar os três processos, como se disse, valorizando a dialética de sua interdependência. É muito difícil não praticarmos o reducionismo característico da escola tradicional (ênfase no domínio de conteúdos) ou da escola inovadora (ênfase nos processos). É muito difícil considerarmos processos de aprendizagem, ensino e desenvolvimento na dialética de sua impossibilidade, possibilidade e necessidade recíprocas.

DUPLA DIREÇÃO

Busquemos agora, pela lógica de suas significações, tema tratado em Vers une Logique des Significations, por Piaget e Rolando Garcia, outro modo de pensar as relações entre ensino, aprendizagem e desenvolvimento. Docente é quem diz, o que diz são os objetos do conhecimento (a matéria) e a quem ele diz são os discentes (os alunos). Aprender como significação de ensinar uma disciplina implica, portanto, dizer para os alunos algo que valha a pena dizer. Na perspectiva do discente ("quem aprende") as ações correspondentes, esperadas, são: ouvir (o que é dito), refletir (pensar, exercitar) e aplicar ou integrar o que ouve, em sua vida. Em resumo, o que faz o docente? Diz ao aluno o que ele precisa aprender, isto é, ensina a disciplina como objeto do conhecimento. O que faz o discente? Ouve o que é dito, reflete e aplica ou integra tais lições em sua vida. O elemento comum aos dois processos – o do ensino, pelo professor, e o do desenvolvimento, pelo aluno – caracteriza um terceiro, que identificamos como aprendizagem. Em outras palavras, aprender é um processo com uma dupla direção, ou melhor, duas fontes. Uma exógena, vinda do professor, que transforma o aprender em apreender, adquirir, informar-se, instruir-se; e, outra, endógena, vinda dos processos cognitivos do aluno, que transforma o aprender em compreender, realizar, tomar consciência, abstrair, implicar. Daí que graças à função mediadora do processo de aprendizagem, o professor explica e o aluno compreende. Aprender é necessário ao ensinar, pois é só através dele que o ensino alcança o aluno. É que é impossível ensinar diretamente processos de desenvolvimento, por mais este seja sempre o objetivo último de qualquer processo de ensino, pois quem ensina sempre deseja que o aluno se desenvolva, se transforme através daquilo que apreendeu de seu professor. Mas, para isto, o aluno precisa compreender, assimilar o que o professor disse ou fez, transformando suas estruturas ou esquemas. O limite do professor é explicar, exemplificar, propor tarefas ou problemas para o aluno, dado que não pode compreender ou realizar isso no lugar deste. Assim, se é impossível ensinar diretamente processos de desenvolvimento, é possível realizar o ensino através dos processos de aprendizagem do aluno, porque é aprendendo que ele se desenvolve e, simultaneamente, é se desenvolvendo que ele aprende. Com isto não se minimiza o papel do professor, ao contrário. As coisas da escola, agora um direito e necessidade de todas as crianças e jovens, requerem a mediação "externa" do professor, segundo Philippe Meirieu. As coisas da escola os alunos só podem apreender através de um professor, mas este não pode compreender por eles. "Apreender", "aprender" e "compreender" têm o mesmo radical: /prend- /, que, não por acaso, coincide com o significado do radical de "ensinar" /sign-/ que significa "marcar", "grudar", "gravar em", isto é, prender; de preferência, para sempre.

Em resumo, se a educação básica agora é para todas as crianças e jovens, então processos de aprendizagem, ensino e desenvolvimento deverão compor uma tríade valorizada em sua interdependência. E se esta educação, através do ensino, se compromete em desenvolver competências, então é preciso que se ensine, igualmente com os conteúdos das disciplinas escolares, os conteúdos relativos aos procedimentos e às atitudes que tornam possível esta assimilação.

CONTRIBUIÇÕES DE PIAGET PARA A ESCOLA

Qual a importância ou contribuição de Piaget para esta nova escola, a que valoriza o desenvolvimento de competências e habilidades, como principal compromisso da educação básica? Se o identificarmos ou reduzirmos aos interesses da escola inovadora, fazendo-lhes as críticas negativas que ela veio a receber, então este autor não tem qualquer importância, ou então merece o desdém que lhe concedem adeptos da escola tradicional. Mas não é este o caso, como veremos.

Aos adeptos da escola tradicional que se desinteressam pela teoria de Piaget, não custa lembrar que em sua experimentação prática e elaboração teórica ele sempre valorizou problemas ligados ao mundo científico e ao da construção de procedimentos que o tornam possível. É que os temas pesquisados por Piaget e sua escola, em sua maior parte, referem-se ao modo como crianças realizam tarefas e compreendem questões relativas à construção do real e à lógica de suas significações nos termos formulados pela Física, Matemática, Sociologia e Psicologia de seu tempo. É certo que ele o fez em nome de duas ênfases frequentemente negligenciadas pelos cientistas. Primeiro, Piaget só entrevistava crianças, avaliando seus recursos cognitivos e propondo um modo de construção dos esquemas que necessitavam para adquirir conhecimentos. Segundo, considerava biologia e conhecimento como processos interdependentes, dado que suas duas heranças – a genética e a sociocultural, fontes de nossa vida – se reconstituem como problema, com o nascer de cada criança, e se reconstroem por suas atividades ao longo do desenrolar de seus processos de desenvolvimento e aprendizagem. Ao seu modo, portanto, Piaget contribuiu para o que é considerado o valor mais alto da escola tradicional: transmitir objetos de conhecimento, na escola, organizados em disciplinas ou áreas.

Aos adeptos da escola inovadora que se desiludiram com Piaget e sua escola porque não encontraram neles uma "maior" ajuda prática, é importante lembrar que uma teoria de desenvolvimento frequentemente mostra a extensão, a complexidade e os limites (internos e externos) de que precisa de seu tempo e espaço para acontecer. Ela não promete o impossível, o que está além das estruturas e esquemas que a criança construiu. Ela não é suficiente para propor procedimentos, ou criar dogmas educacionais capazes de subordinar ou anular a complexidade dos processos de aprendizagem e de ensino. Ela não reduz, nem é redutível, ela interage, compartilha, influencia e é influenciada, é parte tão importante que não pode ser negligenciada, mas que não representa nem expressa o sistema educacional como um todo, sintetizado na tríade: desenvolver, aprender e conhecer, via ensino. Além disto, frequentemente os adeptos desta escola se esquecem de que, em Piaget, conhecimento e vida são problemas para serem resolvidos e compreendidos, em relaçao a todos e a cada um; não se tratando de mera oferta de boas formas de intervenção.

Consideremos, agora, a escola de hoje. Parece ironia: quando mais poderíamos nos beneficiar das contribuições teóricas e experimentais de Piaget e seus colaboradores, supomos que elas não têm mais valor, que já deram o que tinham de dar. Por que suas contribuições teriam tanto valor para a educação básica, agora? Até o final do século XX a escola não era para todas as crianças. Defendia-se seu valor, mas não havia exigências ou recursos públicos reservados para isto. Hoje, como sabemos, a educação escolar básica é um dever do Estado, compartilhado pela família.

Piaget, ainda que tenha se envolvido em toda sua vida com os problemas da educação, de fato, não fez pesquisas na escola ou sobre a escola, não pesquisou alunos, professores, desempenho escolar e tantos outros temas tão caros a este sistema. Ele pesquisou crianças. Ele e seus colaboradores pesquisaram como crianças resolvem e compreendem problemas relacionados ao conhecimento científico. Seu objetivo permanente era observar e caracterizar os níveis pelos quais crianças e jovens passavam para estruturar seus conhecimentos.

O conhecimento científico implica, no mínimo, quatro aspectos interligados: o que se conhece, o como se conhece, o porquê e o para quê se conhece. Em outras palavras, pesquisa-se um tema relevante, usando procedimentos metodológicos reconhecidos pela prática científica, interpretados ou compreendidos à luz de uma teoria ou sistema de explicação, e que tenham valor social ou epistemológico. O problema é que a produção do conhecimento científico é uma prática sofisticada e complexa, e fundamental porque um dos seus benefícios é oferecer modos de enfrentamento ou compreensão de necessidades humanas fundamentais. No mundo atual, mais do que nunca precisamos dos conhecimentos científicos na prática. Eles se expressam como tecnologias ou explicações. O conhecimento científico não é assunto de crianças! A originalidade de Piaget foi fazer pesquisas com crianças buscando observar como resolviam problemas científicos, como desenvolviam procedimentos para isto, como justificavam suas respostas ou criavam um sistema explicativo que tinham significação para elas. A escola transmite conhecimentos científicos, mas não se interessa em saber como as crianças criam os recursos para isto.

CRIANÇA OU ALUNO?

Piaget, por ter se interessado pelo estudo, estruturalista e genético, dos processos de desenvolvimento necessários à construção do conhecimento, estudou crianças, não alunos. Isto traz diferença. Pensemos, por exemplo, nas atividades principais de uma criança e de um aluno. As crianças se interessam principalmente por brincar e jogar, bem como devem considerar exigências do cotidiano (comer, dormir, tomar banho, ir à escola). De alunos, espera-se que lhes interessem as coisas da escola: estudar, fazer tarefas indicadas pelo professor, ler, escrever; em sala de aula, o mais provável é que brincadeiras e jogos sejam permitidos se servem para aprender ou ensinar, e não necessariamente para divertir ou passar o tempo. Piaget não estudou escolas, estudou crianças. Suas crianças, supõe-se, eram alunos, frequentavam escolas e viviam no contexto de uma família escolarizada. Mas ele não se interessou por aquilo que seus professores ou pais lhes ensinaram, pois não era seu objetivo de pesquisa saber como se davam estas transmissões, por mais que reconhecesse seu valor e necessidade. É que, como pesquisador e teórico, só lhe interessavam aprendizagens transformadas em formas de conhecimento, e não expressão do que foi induzido ou obrigado a ser repetido, de fora. Uma criança não vive, nem aprende sem aqueles que cuidam dela, que se importam com ela, educam e protegem. Mas estes não podem ser por elas, não podem aprender nem se desenvolver por elas. Daí a razão que dava para a máxima de Béjin: "O sistema cognitivo não é o que meio ambiente faz dele. O sistema cognitivo é o que ele faz do que o meio ambiente fez dele".

Até o século passado, e mesmo hoje em muitos lugares, havia crianças que não eram alunos; havia crianças que não tinham pais. É diferente entrevistar uma criança, principalmente a que estuda, para saber como resolve ou compreende problemas científicos, valorizando apenas respostas que são delas, excluindo-se explicações de seus professores, sem significação para elas. Neste caso, a pergunta é para a criança, não para o aluno. Lembre-se de que este aluno vai concluir sua educação básica na escola, seus professores agora estarão se ocupando de outras crianças. O que ele leva para a vida, além da escola, porque se tornou seu, porque foi incorporado às suas estruturas (cognitivas, afetivas, sociais), é aquilo que aprendeu como criança ou jovem. Em uma escola apenas voltada para a escola seguinte, talvez isto não tenha muito valor, mas para uma escola, como é o caso daquelas que compõem o ciclo da educação básica, voltada para toda a vida, faz muita diferença saber como e por que uma criança realiza e compreende certos tipos de problemas, em seu nome.

A EDUCAÇÃO COMO TRANSMISSÃO E CONSTRUÇÃO

A educação é e sempre foi pensada como transmissão. Tem que ser assim, quando a consideramos na perspectiva dos adultos, das pessoas que são por ela responsáveis. Só se pode transmitir algo conhecido, só se deve transmitir algo valorizado. De fato, transmissão supõe conhecimento ou disponibilidade da informação, domínio do conteúdo que se transmite. Ele pode ser transmitido de muitos modos, mas o pressuposto é que seja conhecido ou disponível. Adultos que conhecem, transmitem conteúdos, informações; em uma palavra, educam crianças ou pessoas que não conhecem. O termo adequado é "transmitir". Na escola o problema da transmissão ganha uma dimensão complexa e fundamental, sobretudo hoje quando é exigida para todas as crianças. Complexa, porque supõe muitos fatores e aspectos interdependentes (irredutíveis, complementares e indissociáveis). Fundamental, porque nenhuma criança pode ser excluída da escola, porque há certas aprendizagens, não por acaso as mais importantes, que só podem ser aprendidas na escola, porque requerem a intervenção de um professor e de todo um corpo educacional. Resumindo: transmissão supõe algo conhecido (como informação, valor, processo etc.), valioso e disponível por uma das partes, a que faz a transmissão. Neste sentido, as crianças não sabem e precisam aprender de quem sabe, que lhes transmite o que devem saber. É bom que seja assim, mas o problema é que não podemos, por sua insuficiência e incompletude, reduzir aprendizagem a ensino, sobretudo em uma escola que se quer para todos. Há de se considerar o outro lado.

Para as crianças que recebem a transmissão tudo ou quase tudo é novo, desconhecido para elas, como conteúdo e como forma. Ela ignora, não sabe, muitas vezes, nem quer saber por que está interessada em assuntos que lhe são mais próximos e caros (brincar, por exemplo, é a atividade principal na perspectiva da criança). Construção é pensar a transmissão na perspectiva das crianças. Construir o conhecimento: perspectiva da criança ou aluno; transmitir o conhecimento: perspectiva do adulto ou professor. Esta construção se caracteriza, na maior parte das vezes, por descobrir, ou reconstruir, ou reinventar aquilo que seus professores ou adultos já sabem. O problema é que para elas trata-se de se relacionar com o desconhecido, de investigá-lo, fazer perguntas, compreender explicações, construir esquemas presentativos, procedimentais e operatórios, como os classifica Piaget.

Em uma escola comprometida e interessada em selecionar não apenas os julgados mais aptos ao longo do processo de escolarização, saber como as crianças pensam, agem ou compreendem é fundamental. Não basta apenas a perspectiva dos que são responsáveis pela transmissão, não é suficiente pensar a aprendizagem apenas como uma consequência "natural", ainda que nunca verificada completamente, do processo de ensino. É fundamental, igualmente, considerar a perspectiva dos que não sabem, das crianças, dos recursos de que dispõem e constroem para isto.

Por exemplo, na perspectiva da transmissão os erros são um problema a evitar. Uma transmissão errada, incompleta, imprecisa precisa ser anulada. Será por isto que a escola só avalia acertos? Na perspectiva da construção erros são comuns, fazem parte do processo. Quem não sabe ou não sabe tudo dificilmente acerta da primeira vez, sobretudo se estiver enfrentando algo difícil, desafiador. Aprender neste sentido é aceitar o erro, mas corrigi-lo como parte do processo de aprender. Aprender é pouco a pouco pré-corrigir erros, antecipar, simular, planejar, evitar. Na perspectiva de transmissão o presente se beneficia de um conhecimento ou informação passada, ou seja, já aprendida por aquele que transmite. Na perspectiva da construção, o presente se beneficia do que será de um conhecimento ou informação, ou seja, de seu valor de futuro.

Vistos deste modo, construção e transmissão são termos interdependentes, em tríplice condição. Primeiro, são irredutíveis, transmitir é, principalmente, tarefa do professor, construir conhecimentos é, igualmente, tarefa do aluno. Segundo, são complementares, pois um ensino só se completa com uma aprendizagem correspondente. Aprendizagem esta, como vimos, condicionada, do mesmo modo, pelo nível de desenvolvimento. Terceiro, são indissociáveis, pois compõem um todo, cujas relações são reguladas pelos modos de suas interações. Por isto, é lamentável a competição ou má vontade que às vezes ocorre entre "transmissivistas" e "construtivistas", como se um pudesse anular ou acontecer sem o outro, na situação de escola.

Em suma, a aprendizagem escolar que desejamos para todas as crianças e jovens é composta por duas metades. Uma depende de fonte exógena. Refere-se às aquisições, via transmissão. A outra depende de fonte endógena, via construção ou reconstrução convergente. Refere-se ao desenvolvimento, pelo qual estruturas e funções cognitivas possibilitam, graças a um processo de equilibração, qualificar melhor suas possibilidades de interação com o mundo, em cada um de nós, em todos nós. Por sua complexidade e impossibilidade de controle direto, talvez sejam a parte esquecida, negada da aprendizagem. A ironia é que este é o objetivo maior de qualquer educação, de todas as educações: que as pessoas se desenvolvam, ganhem autonomia, tornem-se adultos, no sentido pleno do termo.

Em outras palavras, não se aprendem as coisas da escola sem um professor. Mas o aluno não aprende o que ele ensina se não tiver recursos cognitivos, afetivos, morais e sociais em nível condizente para isto. Por exemplo, se o conteúdo que o professor explica for de "nível 3" e o aluno estiver em um "nível 1" de compreensão, tal defasagem entre os interesses de transmissão e suas possibilidades de assimilação perturbará (ou impedirá) o processo de aprendizagem. Infelizmente, este descompasso é muito comum.

QUATRO MODELOS DE INTERDEPENDÊNCIA ENTRE DESENVOLVIMENTO, APRENDIZAGEM E ENSINO

Segundo Howard Gruber e Jacques Vonèche, não há dogmas piagetianos para a educação, nem método pedagógico capaz de controlar os processos de desenvolvimento, do modo como ele os considera. É que princípios e métodos dependem de como o professor compreende o pensamento das crianças. Piaget devotou seus esforços para mudar nossa compreensão da criança. Na medida em que mudamos nossa compreensão podemos alterar nossa forma de relação.

Ao aplicar as ideias de Piaget é quase impossível separar meios e fins. O desenvolvimento das estruturas cognitivas de uma criança depende de suas atividades; são elas que "fazem acontecer" o desenvolvimento das estruturas cognitivas. A atividade é o funcionamento destas estruturas. A atividade alimenta as estruturas que guiam a atividade. Por isso não podemos simplesmente dizer que a atividade é o meio e o cultivo das estruturas é o fim. Elas são inerentemente inseparáveis.

Para Gruber e Vonèche, Piaget contribuiu "valorizando a atividade da criança para o desenvolvimento de sua inteligência; explorando profundamente seu pensamento em relação a certos universais no conteúdo da experiência humana – natureza dos objetos, espaço, tempo, movimento, acaso, responsabilidade moral e consciência social; e propondo que certas estruturas lógico-matemáticas se estendem para todas as áreas do conhecimento, são formas encontradas repetidamente nos conteúdos destas áreas".

Eles afirmam ainda que duas abordagens são possíveis para aplicar Piaget na educação. A primeira é através do uso de materiais e exercícios; a segunda, pelo tipo das relações sociais que se estabelecem no âmbito da escola. Para ilustrar estes aspectos, propõem quatro modelos: Taos, Paris, Atenas e Eldorado.

A principal característica do modelo Taos é o respeito pelo "artesão individual". Para isto, cada criança deve dispor de materiais e propostas de tarefas e exercícios que contribuirão para seu desenvolvimento através de sua própria atividade. Os materiais e tarefas organizam a atividade, desencadeiam e orientam sua realização, mas a criança se desenvolve pelo que faz, pensa ou sente, e não apenas pelo que lhe dizem. Trata-se, então, de tornar um artesão habilidoso, que maneja ferramentas, realiza e conclui tarefas, aprende com os erros, observa e constrói correspondências, transforma seus esquemas de ação. O principal papel do professor, neste modelo, é saber criar situações de aprendizagem, propor tarefas e dispor os materiais e recursos necessários. As tarefas propostas desencadeiam e orientam a atividade da criança, mas não substituem nem descartam sua participação. O professor pode, igualmente, propor tarefas diversificadas, mas ordenadas segundo critérios de sua adequação e benefício em relação às possibilidades das crianças. O plano é respeitar que o desenvolvimento intelectual não pode ser diretamente controlado pelo processo de ensino, mas que pode ser influenciado por ele, através de solicitações de atividades, que requeiram aprendizagens igualmente comprometidas com os processos de desenvolvimento.

É preciso lembrar que, para Piaget, o comportamento, e não a seleção dos mais aptos, era o motor da evolução. Desta ideia de comportamento como motor da evolução infere-se o valor da atividade do sujeito como importante para seu processo de desenvolvimento. Na educação básica atual não há seleção dos mais aptos e exclusão consequente dos que não se ajustam. Mas o que se busca agora é oferecer o máximo de oportunidades de desenvolvimento das competências e habilidades de cada um e de todos ao mesmo tempo.

O segundo método, "Paris", caracteriza-se pelo prazer ou gosto da discussão entre pares. Nesta perspectiva, a ênfase não está nos materiais ou nas coisas que desencadeiam as discussões. O que importa são discussões, debates, enfrentar ideias contrárias, recorrer à experiência, mesmo que insuficiente para vencer a discussão, apresentar e defender argumentos, enfrentar o conflito de acreditar em uma coisa que não é compartilhada pelos outros, o fato de não ter a pronta adesão do outro. Os autores chamam a atenção para a importância de estas serem entre pares. Lembram, com razão, que as discussões entre adulto e crianças são desiguais, o adulto domina. O papel do professor, neste caso, será então o de promover o debate, organizar as regras, zelar pela sua consideração, mediar conflitos, observar e promover processos de desenvolvimento e aprendizagem. Comportar-se como mediador no sentido pleno do termo.

O terceiro modelo proposto por Gruber e Vonèche, "Atenas", se caracteriza pelo método socrático. Novamente, o diálogo é valorizado, mas sem intenção de criar igualdade na relação aluno-professor. O professor questiona, reflete, expõe, fornece material, dá instruções, avalia, orienta. Sugerem que o método clínico de Piaget, um instrumento de pesquisa, seja agora utilizado como método de ensino.

O quarto modelo é o "Eldorado". Nele, adulto e crianças participam no processo de descoberta e aprendizagem. "O professor compartilha seu conhecimento com as crianças, vivendo-o", segundo Gruber e Vonèche.

TRÊS MODOS DE SE CONCLUIR

Permitam-me concluir estas reflexões, propondo três finais.

1. Relações entre ensino, aprendizagem e desenvolvimento: Um ciclo virtuoso

- Só um professor pode ensinar o que se aprende na escola.
- São estas aprendizagens que possibilitam o desenvolvimento do aluno.
- Com este desenvolvimento abrem-se novas possibilidades de aprendizagem.
- Novas aprendizagens necessitam de um ensino mais aprofundado e exigente.
- Um ensino mais profundo requer professores mais qualificados.
- Um professor mais qualificado ensina a aprender melhor.
- A melhor aprendizagem favorece um desenvolvimento ótimo.
- O desenvolvimento ótimo confirma o valor de vida do que se ensinou na escola, graças ao professor.
- Como observar (avaliar) e promover este começo, meio e fim?

2. Por duas funções mediadoras

- A função mediadora do ensino refere-se aos objetos de conhecimento que a escola se comprometeu em transmitir para seus alunos.
- A função mediadora da aprendizagem refere-se às competências e habilidades que a escola se comprometeu em desenvolver em seus alunos.
- Estas duas mediações têm funções diferentes, mas complementares.
- Pelo ensino, o aluno tem acesso ao conhecimento que precisa aprender, em nome de seu passado e de seu futuro.
- Pela aprendizagem, ele exercita, aperfeiçoa, corrige e transforma para melhor seus processos de desenvolvimento, necessários para isto, aqui e agora.
- Sendo assim, ensino, aprendizagem e desenvolvimento são interdependentes, porque irredutíveis, complementares e indissociáveis.

- E os elos que os unem são as mediações que possibilitam sua transmissão ou construção.

3. Por que Piaget?

- Considerar fatores e processos de desenvolvimento é muito importante, hoje, para o que se ensina e se aprende numa escola que se quer para todos.
- Teoria e pesquisa de Piaget referem-se a fatores e processos de desenvolvimento.

O legado - I

A PESQUISA PIAGETIANA CONTEMPORÂNEA

por Adrián Oscar Dongo Montoya

Para Piaget, a aprendizagem se constitui como criação e invenção de formas de conhecimento em função da troca entre a atividade organizadora do indivíduo e a experiência

A obra de Piaget gerou inúmeras tendências e linhas de pesquisa que foram adquirindo importância significativa para a teoria e prática educativa. Aqui, analisaremos as mais importantes.

Como a obra de Piaget é ampla e suas pesquisas abriram diferentes frentes de interrogação, não podemos deixar de lado os variados temas e campos de investigação, sem perder de vista a necessária integração e coerência com o sistema teórico de conjunto. Por essa razão, levaremos em conta suas teses e hipóteses fundamentais sobre os aspectos e processos constitutivos dos conhecimentos.

Duas teses científicas percorrem a obra de Piaget. A primeira considera a aquisição do conhecimento não como simples cópia ou conexão associativa de dados exteriores, mas sim como ação integrativa (assimilação), em função dos "esquemas de ação" do sujeito que, ao levar em conta particularidades dos objetos, precisam diferenciar-se (acomodação). A segunda considera que no processo do desenvolvimento dos estados do conhecimento existe uma dialética radical entre os processos de continuidade e de descontinuidade, o que significa que os novos avanços cognitivos do indivíduo e da ciência são sempre reconstruções, com ultrapassagens *(Aufhebung)*, das conquistas prévias e não rupturas absolutas nem simples prolongamentos.

SOBRE A APRENDIZAGEM

Os estudos de Fernando Becker e os que venho fazendo mostram que na obra de Piaget existe uma teoria psicológica da aprendizagem, que poderia contribuir decisivamente para a superação das concepções e práticas pedagógicas tradicionais.

Esses estudos mostram que a teoria da aprendizagem de Piaget se propõe superar a velha divisão entre aprendizagem e inteligência: a aprendizagem respondendo a leis associativas, como o empirismo e o positivismo defendem, e a inteligência a estruturas pré-formadas, como o apriorismo e o pré-formismo propõem. Para Piaget, a aprendizagem, longe de se constituir apenas como a manifestação de estruturas internas ou a reprodução de regularidades externas, se constitui como criação e invenção de formas de conhecimento em função da troca entre a atividade organizadora do indivíduo e a experiência.

Desse modo, a aprendizagem, no sistema teórico de Piaget, significa atividade de mudança ou acomodação de um esquema ou noção – sistema de ação que obedece a leis de totalidade – com vistas a integrar ou compreender os objetos. A experiência, nesse modelo, não deixa de cumprir um papel fundamental, mas não como única fonte do conhecimento. Assim, diante dos dados da experiência, e existindo a necessidade de compreensão, o sujeito não simplesmente reproduz ou associa esses dados, mas os insere nos esquemas ou sistemas prévios que, por causa da integração, sofrem transformações ou acomodações.

Assim, na medida em que os esquemas obedecem a leis de totalidade, eles atuam de maneira isomorfa às futuras classes e séries lógicas. Desse modo, duas novidades marcam a teoria da aprendizagem de Piaget. Segundo a primeira, em qualquer nível do desenvolvimento a aprendizagem não se realiza independentemente da atividade lógica do indivíduo, o que não quer dizer que a lógica seja pré-formada. Reciprocamente, a lógica é resultado da aprendizagem, no entanto ela participa, funcionalmente, sob formas elementares, na própria aprendizagem. A segunda novidade diz respeito ao fato de a aprendizagem se processar em todos os níveis do desenvolvimento e segundo os mais variados conteúdos do mundo físico e social. Nos níveis iniciais, a aprendizagem é aleatória e imposta pelos dados da experiência; nos níveis avançados, a aprendizagem é busca intencional da mudança e da descoberta. Desse modo, à medida que o indivíduo evolui no seu processo de adaptação ao mundo, a procura de novidades se realiza de modo consciente e intencional.

Essa forma de entender a aprendizagem nem sempre esteve presente na divulgação da obra de Piaget no âmbito da educação, pois esteve restrita às fases do desenvolvimento operatório da criança. No entanto, o resgate do seu pensamento sobre a aprendizagem permite potencializar novas pesquisas básicas e aplicações no campo da educação.

Por um lado, as investigações biológicas mais atuais confirmam as hipóteses de Piaget sobre a atividade sistêmica dos organismos vivos nos processos de aprendizagem, conforme mostram as pesquisas de Maturana, Varela e Antônio Damásio. Esses fatos conduzem a considerar a epistemologia de Piaget de maneira séria. Por outro lado, paralelamente aos estudos básicos sobre mecanismos psicológicos da aprendizagem (abstração, generalização, percepção, memória etc.), estudos sobre aprendizagem escolar se intensificam. Esses estudos se referem à aprendizagem de conteúdos científicos e a questões de ensino-aprendizagem. Toda essa gama de pesquisas revigora, atualmente, a crítica contundente dos métodos de ensino e aprendizagem centrados no conteúdo e no professor e possibilita a construção de novas alternativas pedagógicas centradas na relação ativa do sujeito e com os objetos, e na relação dialógica entre educador e educando. Os estudos, no Brasil, de Fernando Becker e Pedro Demo testemunham essa tendência. As pesquisas do Laboratório de Psicologia Genética da Faculdade de Educação da Unicamp, lideradas por Orly Zucatto Mantovani de Assis, contribuem para esse fim.

A RELAÇÃO INDIVÍDUO-SOCIEDADE

A sociedade, segundo a concepção individualista, é resultado das atividades individuais, ou seja, o todo social é o resultado de atividades individuais. Essa concepção se encontra ancorada nas teses associacionistas, pois para estas as leis de totalidade perdem toda significação. Contrariamente a essa tese, para Durkheim a sociedade é um todo que atua sobre os indivíduos, e o pensamento do indivíduo é o resultado da ação do grupo sobre ele. Graças à linguagem e às coações de uma geração sobre as seguintes, o indivíduo é tributário das aquisições das gerações anteriores. Desse modo, justifica-se a sociedade como fonte da lógica, e a coação como a sua mola propulsora.

Para Piaget, o todo societário não é equivalente à soma dos indivíduos, nem o indivíduo o resultado da ação desse todo. O todo é o conjunto das relações entre os indivíduos, o que não é a mesma coisa que a solução anterior, e a consciência individual é resultado das relações entre indivíduos. Uma interação acarretando modificações duráveis pode ser considerada como o fato social e a sociedade seria a expressão do conjunto dessas interações entre indivíduos. Assim, o fato fundamental não é nem o indivíduo nem o conjunto de indivíduos, mas a relação entre indivíduos. É a relação que modifica ininterruptamente as consciências individuais, como gostaria Durkheim.

Nesse contexto de análise, Piaget postula dois tipos extremos de relações sociais que se produzem historicamente: a coação, que implica uma autoridade e uma submissão, conduzindo à heteronomia; e a cooperação, que implica a igualdade e reciprocidade entre personalidades diferenciadas. As pesquisas que se seguiram evidenciam que o desenvolvimento do pensamento lógico do indivíduo está em função do desenvolvimento das relações de cooperação e, isso, reciprocamente. Para verificar a importância da interação social foram realizadas, em diferentes latitudes, pesquisas psicossociais. Aqui destacamos os trabalhos iniciais de Perret-Clermont.

Esse modo de entender a relação entre indivíduo e sociedade inspirou trabalhos sociológicos e filosóficos contemporâneos, como os relatados por Thomas Kesselring, e contribuiu decididamente para realizar a crítica da relação pedagógica tradicional centrada na autoridade do professor. Nesse sentido, a necessidade de considerar a relação dialógica em oposição a uma educação centrada na autoridade do professor começa a se perfilar com maior vigor. Essa nova perspectiva da relação pedagógica permite estabelecer encontros entre a epistemologia de Piaget e a pedagogia de Paulo Freire, por exemplo.

DO CONHECIMENTO MATEMÁTICO E DO CONHECIMENTO FÍSICO

As estruturas matemáticas constituídas pelo sujeito dizem respeito às leis das ações gerais do sujeito sobre os objetos. Essas leis são abstraídas não das dos objetos mas das próprias ações do sujeito sobre os objetos. Por exemplo, qualquer objeto considerado como maior que outro não depende da sua qualidade intrínseca mas sim do lugar que ele ocupa na relação. Portanto, a ordem das diferenças depende da relação estabelecida pelo sujeito sobre os objetos. A própria unidade numérica, uma forma de quantificação extensiva, depende da relação de ordem hierárquica e do sistema de classes em que se encontram as unidades.

O ensino da matemática contemporânea se enriqueceu devido à descoberta de Piaget de que o número é produto da síntese das relações simétricas e assimétricas, isto é, do domínio prévio das relações de classes e séries lógicas. O número não se reduz a essa síntese, como mostram as pesquisas mais atuais, particularmente as de Clélia Nogueira. Ela mostra que na teoria de Piaget sobre a aquisição do número a participação da contagem é um fator essencial, embora não redutível a ela.

A descoberta da psicogênese do número permitiu, no seio do ensino da matemática, colocar não o método de ensino mas sim a criança como um agente ativo da sua aprendizagem. Esse triunfo inquestionável da Psicologia e Epistemologia Genética contribuiu, infelizmente, para identificar e reduzir a teoria de Piaget ao conhecimento lógico-matemático.

Se há um lugar de destaque para reconhecer a novidade e originalidade da Epistemologia Genética de Piaget, é na formulação do processo de aquisição do conhecimento físico. Contrariamente ao positivismo, a Epistemologia Genética transcende a simples busca de regularidades e leis constatáveis e mostra que a formação dos conhecimentos do mundo exterior se efetua através da construção de modelos de interpretação do mundo.

Se a aquisição do conhecimento físico para Piaget significa a descoberta de propriedades inerentes aos objetos e se realiza através de modelos de representação, ela não se realiza independentemente das atividades lógico-matemáticas do indivíduo. As noções físicas pesquisadas por Piaget e colaboradores (peso, substância, volume, força, transmissão de movimento, velocidade etc.) revelam esse caráter fundamental: a descoberta do real exige organizar os estados e transformações dos objetos sob a forma de sistemas operatórios (operações físicas). Entretanto, é importante não esquecer que, embora a descoberta exija um ato dedutivo, isso não significa que o conhecimento da realidade dependa da simples aplicação das operações lógico-matemáticas. Se fosse uma simples aplicação, não poderíamos entender a dificuldade, complexidade e singularidade construtiva dessa forma de conhecimento.

Para os métodos tradicionais de ensino, a experimentação e a hipótese das crianças não têm a importância devida, pois se acredita que o papel delas é de simplesmente associar e reproduzir as transmissões exigidas pela escola. Contra esse modelo pedagógico, insurgem-se iniciativas de colocar os objetos como mais importantes que as palavras. Isso equivaleria a dizer que, no ensino das ciências naturais, caberia à própria criança observar e experimentar, e que o professor deveria se tornar o colaborador e desafiador dessa atividade experimental.

Apesar do avanço da escola na direção da atividade experimental, ainda existem problemas a serem superados, pois outorgar maior importância aos objetos que às palavras não significa, necessariamente, postular uma atividade experimental propriamente dita, pois a relação pedagógica poderia se reduzir a um ativismo contrário à aprendizagem inteligente do conteúdo sistematizado pela ciência ou uma atividade regulada exteriormente pelo professor.

É necessário entender que existem duas maneiras de conceber a relação do professor com a criança, e desta com os objetos sobre os quais incide a sua ação. Uma é preparar tudo previamente, de tal modo que a experiência consista numa espécie de leitura compulsiva e totalmente organizada exteriormente, o que estaria negando, mais uma vez, a atividade intelectual e experimental por parte da criança. A outra é provocar no aluno a invenção de novas formas de experimentação, levando-o a tomar consciência dos problemas até fazer dele um experimentador ativo que encontra soluções por meio dos seus próprios recursos intelectuais.

Provocar no aluno a atitude de experimentador ativo exige reconhecer nele o processo solidário entre a busca e controle de dados da experiência e a organização desses dados em sistemas operatórios. Noutros termos, progredir da atitude ingênua e fenomênica para a leitura crítica e objetiva dos dados exige a organização destes em função de deduções e razões necessárias, como demonstra o próprio avanço da ciência física.

A introdução da teoria de Piaget no ensino de ciências no Brasil é relativamente recente, que só se concretiza a partir dos Parâmetros Curriculares Nacionais. Os estudos de Vânia Massabni mostram que os professores pesquisados não conhecem os princípios específicos de autores considerados construtivistas; que, do ponto de vista deles, a proposta construtivista é impossível de ser aplicada quando se trata de conteúdos complexos e formalizados; que confessam a carência de elementos teóricos para serem aplicados no contexto escolar. Essa autora evidencia também que, para os professores, embora a inserção do construtivismo como referencial teórico e pedagógico não significasse mudanças profundas na escola, trouxe, no entanto, maior respeito às condições intelectuais dos alunos, especialmente ao considerar que eles podem ter ritmos diferentes de aprendizagem.

CONHECIMENTOS SOCIAIS E CULTURAIS

Apesar das diferenças que separam os conhecimentos físicos e os conhecimentos sociais, estes últimos não deixam de se adquirir e desenvolver de forma análoga aos primeiros. Essa analogia, segundo nosso ponto de vista, obedece ao fato de que, tal como no conhecimento físico, o conhecimento social exige a descoberta de realidades exteriores, as quais se processam a partir de abstrações de dados empíricos, mas inseridos em sistema de relações lógico-matemáticas. Além disso, o seu processo de formação rumo a um conhecimento mais objetivo obedece a uma sucessão temporal que vai de um fenomenismo e egocentrismo radical para relações mais complexas e mais profundas. Essa construção progressiva se realiza, analogamente ao conhecimento físico, como sistemas de representação ou modelos de interpretação.

Quando a escola fornece informações sistematizadas, a criança não se apropria delas como a escola gostaria que acontecesse. Pelo contrário, a criança, em função dos seus conceitos iniciais, começa assimilando de forma subjetiva e fenomênica. Somente depois, e progressivamente, a criança recria esses conhecimentos transmitidos em função de elaborações e reelaborações que envolvem composições lógico-matemáticas. Portanto, o conhecimento social, assim como o conhecimento físico, é um sistema que se organiza, progressivamente, a partir da seleção de dados do mundo real e de atividades operatórias do indivíduo.

As pesquisas sobre os conhecimentos sociais e culturais, realizadas por seguidores de Piaget, deram continuidade às pesquisas dele sobre o conhecimento do mundo real, porém num novo campo de investigação.

As pesquisas de Juan Delval, Gerardo Echeita e de Marianela Denegri, sobre noções econômicas, políticas e religiosas, refletem essa nova abertura e reorientam novas tendências em educação econômica e política.

A ideia de lucro, como a diferença entre o preço de compra e de venda, parece elementar e muito simples de compreender para o adulto. Com efeito, para nós, adultos que vivemos numa sociedade capitalista, a noção de lucro é tão familiar e cotidiana que não pensamos sobre ela quando realizamos as nossas transações comerciais. Além disso, é uma noção que organiza todo nosso conhecimento econômico e político da vida social.

A ideia de lucro significa que toda pessoa que vende o faz para obter um benefício, isto é, para conseguir um preço superior àquele que custou. Assim, o objeto a vender adquire o caráter de mercadoria ou de valor de troca.

Pois bem, os resultados desses autores mostram que as crianças até 10 e 11 anos pensam do seguinte modo: o lojista compra as mercadorias na fábrica (ou numa outra loja) por um preço, e esse mesmo produto é vendido pelo mesmo preço ou abaixo daquele que foi adquirido. Com o dinheiro da venda, ele e a sua família vivem, pagam a seus empregados e repõem as mercadorias.

Do ponto de vista do adulto, essa explicação é totalmente contraditória, no entanto, para as crianças, não parece sê-lo. De uma maneira mais ou menos completa, mais ou menos detalhada, todas as crianças que participaram da pesquisa pensam desse modo.

O fato paradoxal é que, apesar de as crianças estarem imersas numa sociedade centrada no lucro, não conseguem entendê-lo e, inclusive, o rechaçam. Isso é um dado para pensar com cuidado e para duvidar de explicações simplistas que se apoiam apenas na determinação social do conhecimento. Se a criança conseguisse compreender a realidade social simplesmente pela transmissão e por pressão do ambiente, se as suas ideias não tivessem componente de construção própria, entenderia a ideia de lucro desde muito mais cedo.

Os autores da pesquisa explicam que, entre as dificuldades cognitivas apresentadas pelas crianças, encontram-se aquelas relacionadas ao domínio de uma grande quantidade de informações. A criança não é capaz de controlar todos os aspectos do problema e se restringe somente a um deles. Assim, as crianças de 5 a 6 anos podem entender já alguns dos aspectos do lucro e percebem que, quando compramos um chiclete com dez centavos e o vendemos por vinte, obtemos um ganho. Embora a criança possa compreender a noção de base, no momento em que observa toda a sua complexidade, não é capaz de entender senão um aspecto do problema. Produz-se, então, uma espécie de centração cognitiva (egocentrismo) sobre um aspecto determinado das relações em jogo. Juntam-se a isso as dificuldades de ordem aritmética que a impedem de fazer as contas. Mas isso não quer dizer que a solução de problemas aritméticos resolva o problema do lucro, pois a noção como tal não depende da simples aplicação de estruturas lógico-matemáticas.

A centração sobre um aspecto do problema com esquecimento do outro é uma das atitudes mais frequentes nas crianças. Por exemplo, é difícil para elas ver o vendedor, ao mesmo tempo, como comprador, sobretudo quando se encontra centrado sobre o processo da venda, o que as leva a esquecer as peculiaridades da compra.

Além dos problemas com o manejo da informação, a criança parte de pressupostos sobre as relações sociais, que dificultam a compreensão das características do fenômeno econômico. As crianças percebem as relações sociais de caráter impessoal como se fossem pessoais. Observam o vendedor como um amigo que estaria fazendo um favor, que estaria ajudando ou outorgando alguma coisa que precisamos e que, portanto, não poderia cobrar além do preço que ele comprou. Além disso, as crianças pensam que as mercadorias possuem um preço determinado e justo, e que o preço é uma propriedade das coisas, como a sua cor, seu peso e seu tamanho. O preço é, para a criança, uma espécie de realismo nominal e não resultado da dedução que fazemos sobre as relações observadas.

É claro que tanto o preço como a noção de lucro, com os quais os adultos trabalham, não resultam de uma simples operação aritmética nem de relações observadas, mas de uma composição singular sobre o conjunto dos dados e relações observadas. Como no caso do conhecimento físico, a descoberta da realidade do lucro exige a organização dos dados econômicos em sistemas de composições lógico-matemáticos. Por isso, a construção do conhecimento social provoca conflitos cognitivos e elaborações progressivas, até alcançar sistemas de interpretação cada vez mais profundos e objetivos.

É evidente que, para a aprendizagem e desenvolvimento dessa forma de conhecimento, a escola poderá participar de uma maneira decisiva, desde que trabalhe com as ideias das crianças sobre os fatos econômicos vividos, desde que leve a comparar e investigar a forma como se produzem os fenômenos. Não existe motivo algum para impedir a criança de analisar e comparar os dados experimentados e fazer a crítica das interpretações convencionais e tradicionais.

No Brasil, os estudos sobre conhecimentos sociais, na perspectiva piagetiana, prolongam os estudos iniciados por Delval. Entre esses estudos, podemos destacar os trabalhos de Cilene Chakur e Regina Araújo. Essas pesquisas contribuem para pensar, sobre novas bases, a educação cidadã, econômica, ambiental e política.

Sobre o conhecimento cultural não podemos deixar de salientar as pesquisas de Emilia Ferreiro sobre a leitura e a escrita e sua importância decisiva no ensino-aprendizagem da escrita.

A penetração das pesquisas de Emilia Ferreiro na aprendizagem escolar e no pensamento dos professores, como os Parâmetros Curriculares Nacionais o contemplam, é precária e superficial. Trabalhos recentes, como os meus e os de J. Moura, mostram, infelizmente, essa realidade. No entanto, é importante dizer que a causa dessa situação não se deve à pesquisa de Ferreiro nem ao construtivismo de Piaget, como alguns dos seus críticos imaginaram.

VALORES E MORALIDADE

A grande descoberta da Psicologia e da Epistemologia Genética é ter invertido o tratamento clássico dado à moralidade humana. Assim, enquanto Kant vê no respeito um resultado da lei e Durkheim um reflexo da sociedade, Pierre Bovet mostra, ao contrário, que o respeito pelas pessoas constitui um fato primário e que a lei dele deriva. Esse resultado, segundo Piaget, foi essencial para a educação moral, pois leva logo de início a situar as relações entre os indivíduos acima de qualquer ensinamento verbal e teórico. Entretanto, se esse modo de colocar a relação entre o respeito e a lei moral é novo, é preciso ainda diferenciar as modalidades que assume o respeito na relação entre indivíduos. Desse modo, as pesquisas de Piaget distinguem dois tipos de respeito. Por um lado, há o respeito unilateral, que implica a desigualdade entre aquele que respeita e aquele que é respeitado; é o respeito do pequeno pelo grande, da criança pelo adulto, do caçula pelo irmão mais velho. Esse respeito, que traz consigo um constrangimento inevitável do superior sobre o inferior, é característico daquela relação social chamada coação. Por outro lado, existe o respeito mútuo, segundo o qual os indivíduos que entram em contato se consideram iguais e se respeitam. Esse respeito não implica nenhuma coação e caracteriza um segundo tipo de relação social, que Piaget chama de cooperação.

É importante dizer que, para Piaget, esses dois tipos de respeito explicam a existência de duas morais. O respeito unilateral, fazendo par com a relação de coação, conduz ao sentimento de dever. Mas o dever primitivo, resultante da pressão do adulto sobre a criança, permanece essencialmente heterônomo. Ao contrário, a moral resultante do respeito mútuo e das relações de cooperação pode caracterizar-se por um sentimento diferente: o sentimento do bem, mais interior à consciência, cujo ideal de reciprocidade tende a tornar-se inteiramente autônomo.

A obrigação moral, fundada no respeito mútuo, implica a submissão não a uma autoridade exterior, mas sim a um princípio universal. É na constituição do princípio moral que não deixam de participar as atividades operatórias do sujeito moral.

Não há dúvida de que as descobertas de Piaget acarretam implicações enormes não somente na ação pedagógica escolar, mas também na análise dos rumos da nossa civilização. Nesse sentido, concordamos com Yves de La Taille quando, no prefácio à edição brasileira do livro de Piaget O Juízo Moral na Criança, diz: "Não há duvida de que a teoria de Piaget permite pensar a educação. Mas ela permite sobretudo pensar a cultura e, dentro dela, a educação".

É nesse pano de fundo que se abrem novos rumos para os estudos sobre valores morais e questões éticas na educação brasileira. Nesse campo. destacamos as pesquisas de Yves de La Taille, Susana Menin, Luciane Togneta e Telma Vinha.

OUTRAS LINHAS DE PESQUISA

As pesquisas sobre aquisição da linguagem decorrem da tese central de Piaget: o pensamento humano resulta do prolongamento, com reconstrução, do esquematismo sensório-motor da criança. A própria possibilidade de simbolizar decorre da interiorização desse esquematismo e da atividade imitativa da criança. As investigações lideradas por Zélia Ramozzi-Chiarottino iniciaram, no Brasil, essa linha de pesquisa.

Atualmente, desenvolvem-se pesquisas sobre o esporte e o movimento corporal levando em conta os pressupostos da Epistemologia Genética. Os trabalhos de Ângela Palma e José Augusto Palma evidenciam essa nova tendência.

Pesquisas sobre a relação entre afetividade e cognição são um campo especial de pesquisa interdisciplinar, como mostram os trabalhos de Maria Thereza Coelho de Souza. Do mesmo modo, a arte e os jogos são campos promissores de pesquisa e prática educacional, como testemunham os trabalhos de Lino de Macedo e Rosely Brenelli.

O legado - II

O AUTOR E OS EDUCADORES DO SÉCULO XXI

por Luci Banks-Leite

Uma implicação básica das ideias de Piaget é perceber que a criança distingue-se do adulto não porque sabe ou conhece menos, mas porque apreende e compreende o mundo de forma qualitativamente diferente da do adulto

Piaget é pouco lido no Brasil hoje. Muitas vezes seu trabalho é criticado por quem conhece apenas pequenos trechos de sua vasta obra, ou tem contato indireto com seus estudos. Em geral, as variadas críticas dizem respeito seja aos pressupostos epistemológicos e filosóficos, seja aos resultados de suas pesquisas em Psicologia, ou ainda porque – dizem – ele não estuda a criança "concreta", aquela com a qual nos defrontamos em situações da vida cotidiana.

Mas as razões do pouco interesse pela obra de Piaget não são o tema deste artigo. Aqui, serão examinados os aspectos dos trabalhos da vertente em Psicologia desse pesquisador e apresentadas algumas de suas implicações, particularmente, na pesquisa em Psicologia e no campo educacional.

COMO A PSICOLOGIA ENTROU NO PROJETO DE PESQUISAS DE PIAGET

É necessário conhecer algumas preocupações básicas do trabalho conduzido pelo pesquisador suíço para entender as possibilidades e limites de sua obra.

Piaget, um ávido leitor de pensadores do campo da filosofia, e particularmente da epistemologia, decide, muito jovem ainda, dedicar sua vida à "explicação biológica do conhecimento". Em seu projeto, busca encontrar uma forma de construir uma ponte entre Biologia e Epistemologia e vislumbrava que a Psicologia, ciência ainda nascente, poderia lhe fornecer a base empírica, necessária para ancorar suas reflexões em dados concretos. Formado em Biologia, depois de breve estada em Zurique, onde frequentou laboratórios de Psicologia e a clínica psiquiátrica de Bleuler, Piaget dirigiu-se a Paris; aí, além de seguir, na Sorbonne, cursos de grandes filósofos da época (Delacroix, Lalande, Brunschvicg), aprendeu a interrogar doentes no hospital psiquiátrico de Sainte-Anne. Entretanto, foi no laboratório de Simon (1873-1961), colaborador de Binet (1841-1911), que uma oportunidade única surgiu no campo experimental: a de trabalhar com crianças em uma escola parisiense. A árdua tarefa que lhe foi solicitada – a padronização de testes de inteligência – logo foi por ele transformada em trabalho fecundo, que deu início a uma corrente de pesquisas que ele iria implementar e aprimorar durante várias décadas.

Para melhor apreender a originalidade da abordagem piagetiana, vale lembrar alguns aspectos dos trabalhos de Binet. Esse famoso psicólogo francês teve o mérito de empreender uma série de estudos sistemáticos sobre a inteligência infantil. Depois de realizar pesquisas no quadro da escola de Charcot (1825-1893), de quem foi aluno na Salpêtrière, Binet passa ao estudo da criança e do adulto normais. Uma mudança importante operou-se em 1899, com o encontro de Simon (1873-1961), com quem iniciaria entrevistas metódicas sobre a inteligência infantil e a elaboração dos primeiros testes da futura escala métrica do desenvolvimento intelectual. Tais estudos tiveram repercussões importantes na área educacional, uma vez que Binet passou a integrar, em 1904, uma comissão do Ministério da Instrução Pública encarregada de elaborar formas de diagnosticar a deficiência mental em crianças, com a finalidade de integrá-las ao ensino público. A pesquisa conjunta de Binet e Simon resultou em uma Escala Métrica da Inteligência, em 1905 (com revisões em anos subsequentes) que permitia avaliar, através de perguntas precisas e de pontuações claras, a idade mental de crianças. Para Binet e Simon, a inteligência se confunde com a concepção de idade mental, que significa a idade biológica média na qual as crianças conseguem acertar um determinado número de provas. Esse trabalho teve repercussão mundial e, em 1912, nos Estados Unidos, William Stern (1866-1957) estabelece uma relação entre idade mental e idade cronológica, criando assim, o QI, ou seja, o bem conhecido Quociente Intelectual.

Note-se que embora Binet afirme que a criança deficiente mental possua uma inteligência qualitativamente diferente da criança normal, razão pela qual não deve ser confundida com a de uma criança mais jovem, sua preocupação com a medida e algumas afirmações sobre a diferença entre as possibilidades da criança e as do adulto indicam uma assimilação da inteligência à de uma noção quantitativa de um poder maior ou menor de realizar uma tarefa, de responder às questões ou resolver um problema.

Dessa forma, o trabalho de Binet-Simon se insere na categoria dos testes psicométricos clássicos, em que o sujeito, geralmente isolado e em condições padronizadas (tempo fixo, ordem de apresentação dos itens previamente determinada), é submetido a uma série de questões ou tarefas, cujos resultados se traduzem por um número, que permitem situar o sujeito em relação à população à qual ele pertence, por exemplo, crianças da mesma idade.

Ao ser convidado a trabalhar no quadro de estudos dessa natureza, em vez de verificar se as crianças acertavam ou não as perguntas para, em seguida, pontuar essas respostas, Piaget afirma: "engajava com meus sujeitos conversas do tipo interrogatório clínico, com o objetivo de descobrir algo sobre os processos de raciocínio que se achavam por detrás de suas respostas corretas, com um interesse particular pelos processos subjacentes às respostas erradas". Mais precisamente, ao colocar uma questão como "Edith é mais alta que Suzanne e mais baixa que Lili; qual é a mais alta das três?" ele se perguntava por que, muitas das crianças, respondiam: "Edith é a mais alta". Em outras palavras, ele não se contentava em determinar em qual idade as crianças eram capazes de responder corretamente perguntas desse tipo, mas se interessava, sobretudo, pelos processos, ou seja, pelos modos de raciocínio que levavam a tal ou tal resposta.

A partir dessas primeiras pesquisas em Paris e da repercussão obtida com a publicação dos resultados desses trabalhos abriram-se portas que permitiram que Piaget concentrasse seus esforços nas pesquisas sobre o pensamento infantil, mais precisamente sobre a lógica da criança. De fato, entre os leitores desses trabalhos, encontrava-se seu compatriota Edouard Claparède (1873-1940), pesquisador no campo da psicologia e educação, que fundara, em 1912, o Instituto Jean-Jacques Rousseau, em Genebra, por ele então dirigido. Esse já consagrado mestre convidou Piaget a trabalhar nesse Instituto destinado às pesquisas e à formação de educadores.

Aceitando o convite de Claparède, Piaget passou a trabalhar em condições ideais para avançar em suas investigações. Acreditava, então, que dois ou três anos de trabalhos na área da Psicologia seriam suficientes para congregar elementos que trariam respostas às questões de ordem epistemológica; a sequência dessa história é bem conhecida por todos: Piaget dedicou mais de trinta anos ao estudo do pensamento infantil antes de abordar, na década de 1950, os grandes temas de seu interesse, visando a elaboração de uma Epistemologia Genética.

A PSICOGÊNESE COMO UM MÉTODO PARA A ELABORAÇÃO DA EPISTEMOLOGIA

Para estudar problemas de ordem epistemológica, Piaget colocou sob um novo ângulo as clássicas questões filosóficas: o que é o conhecimento? como conseguimos conhecer o que conhecemos?, transformando-as para: como se passa de um estado de conhecimento de menor validade para outro de maior validade? considerando-se como de maior validade o que é admitido e fixado pela comunidade científica. Com as questões assim reformuladas, Piaget elaborou uma epistemologia qualificada de "genética", precisando que o próprio da epistemologia genética é procurar descobrir as raízes das diversas variedades de conhecimento, desde suas formas mais elementares, e seguir seu desenvolvimento aos níveis ulteriores, até, inclusive, o pensamento científico. Para realizar esse projeto, Piaget lançou mão de dois métodos principais: o método histórico-crítico e o método psicogenético.

O método histórico-crítico consiste basicamente em procurar, na história da ciência, elementos que contribuam para se apreender como certas noções científicas (número, tempo, espaço, por exemplo) se constituíram, desde suas primeiras manifestações até o momento atual. Embora esse método estabeleça a ascendência de certos conceitos, ele não permite que se conheçam seus estágios iniciais nem o nascimento desses conceitos, uma vez que o pensamento científico é fruto da elaboração de mentes adultas. Ora, essa lacuna será preenchida pelos fatos coletados por meio da investigação em Psicologia ou, mais especificamente, pelo método psicogenético. Ao compreender esse objetivo básico, entende-se também por que Piaget direcionou seu trabalho ao estudo da construção de todas as noções essenciais ou categorias do pensamento, das quais se pode retraçar a gênese no decorrer do desenvolvimento intelectual do indivíduo, entre o nascimento e a idade adulta. De fato, grande parte das pesquisas que Piaget e seus colaboradores empreenderam em uma perspectiva psicogenética foi constituída por estudos experimentais voltados a temas como número, espaço, tempo, causalidade, objeto permanente, velocidade, quantidades físicas, acaso e probabilidades, lógica elementar (classes e relações) e lógica do adolescente, bem como estudos sobre a memória, percepção, imagem mental. Além desses, também realizou, principalmente na década de 1970, na última etapa de seu trabalho, um grande número de pesquisas no Centre International d'Épistémologie Génétique, a respeito do funcionamento cognitivo, estudando então mecanismos como a tomada de consciência, a contradição, a generalização, as correspondências e importantes estudos sobre a equilibração e a abstração reflexiva. Vale notar, portanto, que o projeto epistemológico de Piaget orientou o estudo da psicogênese, ou melhor, a forma de elaborar as questões dessa área, destacando-se as seguintes.

Primeiro, no que diz respeito aos estudos sobre a aquisição de noções ou categorias de pensamento, o interesse não recai, como pensam alguns, sobre a criança ou adolescente, enquanto sujeito psicológico, mas na procura do que há de comum, o que há de convergente nas respostas, para se descrever o sujeito epistêmico que é uma criança/adolescente referencial. Segundo, contrariando os métodos de pesquisas comumente utilizados e prevalecentes no campo da Psicologia até os dias de hoje, as pesquisas piagetianas enfatizam o estudo de processos e não de resultados. Essa preocupação levou Piaget a adaptar o método clínico, cuja característica essencial consiste na análise qualitativa de respostas, o que abre possibilidades amplas para o estudo desses processos. E, por último, com as questões norteadas e delimitadas pelo projeto epistemológico, entende-se por que as questões que hoje são consideradas como sendo do âmbito da Psicologia Cognitiva se mantiveram como alvo de atenção predominante, essencial, e as questões relativas ao aspecto afetivo e à esfera moral tenham merecido um tratamento menos importante e até mesmo secundário por parte de Piaget.

Foi dessa forma e dentro desse contexto histórico que surgiram inúmeras tentativas de "aplicação" da teoria piagetiana à prática pedagógica.

AS "APLICAÇÕES" DA TEORIA PSICOGENÉTICA À PRÁTICA EDUCACIONAL

Uma das primeiras ideias discutidas pelos psicólogos e educadores que procuravam na teoria psicogenética uma base para novas propostas pedagógicas tratava da possibilidade de se acelerar a construção das estruturas lógico-matemáticas que foram bem caracterizadas por Piaget em seus trabalhos em Psicologia. Em um famoso encontro realizado em 1959, conhecido como Conferência de Woods Hole, reunindo educadores americanos e psicólogos, a grande pergunta era a seguinte, feita por Eleanor Duckworth: "se é verdade que os níveis de compreensão das crianças se desenvolvem tão lentamente, o que se pode fazer para acelerá-los?". Nessa perspectiva, surgiram vários trabalhos que procuravam, por exemplo, ensinar a alunos de pré-escola regras verbais que, segundo Piaget, surgem no pensamento formal; acreditava-se que, dessa maneira, as crianças tornavam-se capazes de operações formais muito mais cedo, sem precisar aguardar um longo período de desenvolvimento espontâneo dessas operações. Piaget se referiu à possibilidade de aceleração do desenvolvimento intelectual de forma irônica, denominando-a de "a questão americana", uma vez que esta preocupava, sobretudo, os pesquisadores daquele país (onde nasceu e se desenvolveu a escola behaviorista que vigorou com tanto êxito durante várias décadas no século XX) e a respondeu em um artigo no qual assinala a importância do tempo no desenvolvimento intelectual.

A estas, seguiram-se outras tentativas que procuraram, na teoria psicogenética, elementos para a elaboração de propostas pedagógicas. Algumas propunham a construção das estruturas lógicas como objetivo da educação; para tanto, deveriam promover-se atividades que levassem à aquisição de noções que caracterizam as estruturas operatórias concretas, como defendeu Constance Kamii e/ou favorecesse a construção de estruturas operatórias formais, como R. Karplus e A. Lawson. Nessa perspectiva, as decisões didáticas referentes à escolha do conteúdo escolar, à organização das atividades de aprendizagem etc. se submetem ao objetivo proposto; por conseguinte, o conteúdo a ser ensinado inspirava-se largamente em técnicas e experiências empregadas por Piaget e seus colaboradores para o estudo do desenvolvimento cognitivo, como seriar e classificar, realizar experiências com objetos para verificar se afundam ou flutuam na água e outros do gênero.

Outros educadores se centraram mais nos processos de desenvolvimento e aprendizagem; o foco de atenção dos programas se desloca então dos objetivos para os métodos e estratégias de ensino. A própria Kamii comenta, critica e remaneja seu programa anterior e defende, entre outras, a ideia de que as crianças devem ser "deixadas sozinhas" em um ambiente rico, o que deve contribuir para que se tornem capazes de "levantar problemas, ideias e questões" e que a longo prazo "desenvolvam suas capacidades intelectuais ao máximo". Outro trabalho importante efetuado nessa perspectiva é o de Hans Furth e Harry Wachs que, preocupados em promover o hábito de pensamento criativo, independente, sugerem que o professor deve implementar atividades "apropriadas para desafiar o pensamento da criança, mas não tão difíceis que a levem ao fracasso". A ideia central desse princípio que se tornou conhecido como a estratégia do "desajuste ótimo" é a de que se um objeto de conhecimento está muito longe das possibilidades de compreensão do aluno, não se produzirá nenhum desequilíbrio nos seus esquemas de assimilação ou haverá um desequilíbrio que não poderá ser superado; se, ao contrário, o objeto é facilmente assimilado pelos esquemas disponíveis não haverá razão alguma para serem modificados. As situações pedagógicas de "desafios" seriam as que se localizam em uma zona intermediária de defasagem ideal entre os dois extremos.

Muitas críticas têm sido tecidas a esses enfoques que apresentam em comum a ideia de se buscar em uma teoria da Psicologia, no caso, a teoria psicogenética piagetiana, respostas e diretrizes nítidas para grande parte das questões tipicamente pedagógicas. De fato, as propostas de "aplicação" da teoria psicogenética voltadas a solucionar problemas do tipo "quais os fins da educação e dos currículos escolares", "o que ensinar (conteúdos)", "como ensinar (métodos)", se mostraram pouco frutuosas. O estudo do desenvolvimento cognitivo, em seus aspectos estruturais e funcionais, procura responder às questões de ordem epistemológica e por isso torna-se difícil, senão impossível, uma "passagem direta e imediata" dessa teoria à prática educacional, segundo Gillièron. Outra razão é mais ampla e envolve todo o campo da Psicologia, pois questiona-se se essa disciplina poderá trazer respostas e/ou inspirar "programas" educacionais. Depois de algumas décadas, sobretudo as de 1960-70 em que se depositou uma grande expectativa em relação à contribuição da Psicologia às questões educacionais, o fenômeno educativo passou a ser, então, abordado em seus múltiplos aspectos – econômicos, ideológicos, sociais – que extrapolam, claro, os problemas investigados na esfera da Psicologia ou de outra disciplina tomada de forma isolada.

NOVAS PESQUISAS E AS IDEIAS PIAGETIANAS NA ATUALIDADE

Em contraste com os estudos predominantes até os finais da década de 1970, surgiu, claramente, a partir dos anos 1980, uma tendência à realização de trabalhos sobre temas de ordem didático-pedagógica baseados nos sólidos alicerces da Psicologia e Epistemologia Genética, particularmente, nos aspectos interacionista e construtivista.

A título de exemplo, vale lembrar que, com ênfase na dimensão construtivista, Emilia Ferreiro e Ana Teberosky iniciaram, na década de 1970, pesquisas com o objetivo de apreender as hipóteses que as crianças tecem a respeito da língua escrita; os resultados de trabalhos de várias décadas mudaram a perspectiva de ensino-aprendizagem da escrita, prática antes tratada como uma mera aquisição de ordem técnica. Outros inúmeros estudos também foram empreendidos em outras áreas, levando em conta as características específicas do objeto que se deve (re)construir. Entre nós, é notável a importância de trabalhos sobre a construção de conhecimentos, geralmente relativos a conteúdos escolares específicos.

Outras pesquisas procuraram, seguindo as próprias recomendações de Piaget, tratar a Psicologia Educacional como um campo específico e voltaram-se nitidamente para a abordagem de problemas ligados à pedagogia e às questões escolares: constituição de currículos, estratégias de aprendizagem, interação professor-aluno, interação entre alunos, formação do professor, e tantos outros.

Quase um século após as pesquisas iniciais de Piaget, o que permanece ainda válido, neste século?

Vejamos algumas das diretrizes que se pode delinear a partir da leitura de trabalhos piagetianos, válidas ainda atualmente.

A primeira vem da vertente psicológica das pesquisas piagetianas clássicas, em que o desenvolvimento intelectual do nascimento até a adolescência é caracterizado por estádios bem descritos e que traduzem diferentes estruturas cognitivas. Cada estrutura possibilita uma certa maneira de relacionar-se com a realidade, de compreendê-la e de atuar sobre ela. Embora tenha sido alvo de controvérsias, o conceito de estrutura permite "explicar" o que a criança sabe e pode fazer em um determinado momento de seu desenvolvimento, ou seja, "permite determinar os limites inferiores e superiores das possibilidades do sujeito para cada problema e a cada nível", como afirma Inhelder e outros.

Vimos o quanto Piaget enfatizou o valor das respostas erradas, desde o início de suas pesquisas, pois foram estas que lhe deram pistas para que compreendesse a lógica infantil. Se é verdade que, em relação ao saber escolar, em certas ocasiões, uma só resposta é correta (2+2 = 4, por exemplo), existem sempre várias maneiras de errar. Eliminar a dicotomia certo/errado e tratar as respostas qualificadas como erradas como um meio de entender os caminhos pelos quais passa a construção de conhecimentos é outra diretriz importante decorrente dos estudos de Piaget.

Por último, um dos pontos mais importantes consiste em uma nova concepção da criança e do adolescente, uma nova visão decorrente dos estudos de Piaget sobre o pensamento racional. Tornaram-se comuns as afirmações a respeito das características próprias da mentalidade ou da lógica infantil, atualmente bastante conhecidas e admitidas, ao contrário do que aconteceu quando

Piaget empreendeu seus primeiros trabalhos sobre a especificidade do pensamento infantil, época em que suas ideias não eram partilhadas por seus contemporâneos. Entretanto, nem sempre se reflete sobre uma implicação básica dessas ideias, que consiste em valorizar as produções infantis, em perceber que a criança é diferente do adulto não porque sabe menos, conhece menos, ou porque é inferior, mas porque apreende e compreende o mundo de forma qualitativamente diferente do adulto. Como bem assinalou Claparède, ao prefaciar o primeiro livro de Piaget: "enquanto se via no progresso da inteligência infantil o resultado de certo número de adições e de subtrações – aumento de experiências novas e eliminação de certos erros [...] – mostram-nos hoje que esse progresso antes de tudo se deve ao fato de que essa inteligência muda, pouco a pouco, de caráter".

Enfim, a criança compreende o mundo, os objetos, os outros e ela mesma, de forma distinta da maneira como seus pais e professores apreendem esse mundo. Cabe ao adulto compreender e explorar as implicações educacionais e pedagógicas das formas típicas da criança de ser e pensar.

O legado - III

A CONSTRUÇÃO COGNITIVA DO SI MESMO

por Maria Thereza Costa Coelho de Souza

As noções de si mesmo e de objeto são, para Piaget, a base sobre a qual as novas construções relativas ao eu e ao mundo se assentarão, expressando os momentos do desenvolvimento psicológico

Jean Piaget se dedicou, em sua obra, a apresentar o bebê, do nascimento até os 2 anos de idade, quanto à elaboração do universo físico e, simultaneamente, à consciência de si (construção do eu). O movimento evolutivo parte da indiferenciação eu/mundo (egocentrismo) – em termos piagetianos, da indiferenciação entre assimilação e acomodação –, para chegar, ao fim de 24 meses, à separação entre eu e universo (descentração), a qual se manifesta pelas noções de objeto, tempo, espaço e causalidade. Essa passagem é gradativa e complexa; refere-se a mudanças qualitativas tanto na forma de a inteligência (prática) conhecer o mundo quanto no tipo de conhecimento resultante das interações entre criança e objetos, mediadas pelas ações da primeira sobre os últimos. Para maior explicação da dupla construção eu/mundo, tomaremos a construção da noção de objeto, que é solidária à construção do si mesmo (eu). Nos primeiros 3 meses de vida, o bebê age em termos de quadros suscetíveis de reconhecimento, mas que não permanecem se for impedido o contato perceptivo direto com os objetos. Em seguida, entre 3 e 6 meses, já se observa alguma permanência dos objetos, mas como prolongamento dos movimentos de acomodação efetuados pelo bebê, sem que haja procura ativa por objetos ausentes. Já entre 7 e 12 meses de idade, o bebê busca objetos desaparecidos, mas não leva em conta os deslocamentos que estes possam ter sofrido. Somente entre 12 e 18 meses é que a criança manifesta sinais de que, para ela, os objetos são dotados de substância permanente e estão inseridos num sistema de deslocamentos no espaço. Contudo, não há ainda consideração de mudanças de posição que ocorram fora do campo da percepção direta, ou seja, não são considerados os deslocamentos invisíveis. Essa limitação é superada na fase seguinte, entre 18 e 24 meses, quando a criança, por representar os objetos ausentes e seus deslocamentos, manifesta ter construído a noção de objeto permanente, localizado no espaço e no tempo e definido por meio de relações causais com outros objetos e ações. Piaget insere a construção cognitiva de si mesmo no contexto das construções das noções de objeto, espaço, tempo e causalidade, pois, para ele, o universo somente tem existência para a criança à medida que esta se diferencia e se descentra das amarras trazidas pela percepção. Isso lhe permite constituir-se como um objeto entre outros, por um lado, e como sujeito de suas ações sobre os objetos, por outro. Assim, a gênese das construções cognitivas de objeto e de si mesmo ocorre, para Piaget, já no período inicial da vida, denominado período sensório-motor. O universo inicialmente construído será, então, reconstruído no próximo patamar evolutivo, cuja organização será dada pela inteligência representacional, que integra a inteligência sensório-motora dos dois primeiros anos de vida. Objeto, tempo, espaço, causalidade e eu serão, portanto, enriquecidos com uma nova qualidade: a de serem representados e manipulados mentalmente.

Jean Piaget se dedicou ao estudo do desenvolvimento mental da criança quanto ao duplo movimento da evolução da consciência do "si mesmo" e do conhecimento do mundo (físico e social). Tendo como preocupação central a questão de como se dá o conhecimento, Piaget buscou na Psicologia o método que lhe permitisse acompanhar as mudanças de natureza dos conhecimentos ao longo da vida, do nascimento à vida adulta. Assim, construiu uma teoria do desenvolvimento que prioriza a inteligência como forma de adaptação ao mundo e de organização da atividade mental. O tema ora apresentado refere-se, portanto, à discussão central da obra piagetiana: a dupla e simultânea construção do "si mesmo" (eu) e do mundo, do sujeito e do objeto. A perspectiva piagetiana articula as noções de sujeito e objeto à questão da gênese dos conhecimentos e às concepções de realidade e de dialética.

Piaget enfatiza que o sujeito constrói conhecimento a partir de suas interações com os objetos físicos e sociais. Focaliza, assim, as relações de interdependência (dialéticas) entre sujeito e objeto e, simultaneamente, entre estrutura (forma de organização da atividade mental do sujeito) e gênese (estruturas anteriormente construídas). As suas concepções de dialética, apresentadas em As Formas Elementares da Dialética (1980), as quais incluem sua teoria da equilibração, explicam, de maneira dinâmica, o funcionamento cognitivo, pois não se baseiam somente nos patamares de equilíbrio (estágios), mas também nos processos envolvidos nas interações (perturbações, regulações e compensações) e que são responsáveis pela passagem de um patamar a outro.

Em A Construção do Real na Criança (1937), Piaget apresenta o movimento evolutivo da diferenciação eu/mundo, empreendido pela criança nos dois primeiros anos de vida, demonstrando que, quando as noções práticas de objeto, espaço, tempo e causalidade são construídas, um primeiro universo (físico) está elaborado e, ao mesmo tempo, uma primeira noção de "eu" ou de "si mesmo". Tudo se passa gradativamente, de acordo com os dois princípios que norteiam a teoria de desenvolvimento do autor: a busca do equilíbrio e a integração das construções anteriores nas novas formas de organização. Ao descrever a construção do real no período de 0 a 2 anos de idade, Piaget expressa sua concepção de realidade, a qual é objetivada pela criança, seja essa realidade externa, seja interna, sendo o caminho da criança justamente o de passar da subjetivação à objetivação do mundo físico e também do "si mesmo". Em outras palavras, pode-se dizer que o movimento evolutivo parte da indiferenciação para a diferenciação e equilíbrio estável entre assimilação e acomodação, do egocentrismo para a descentralização. A mediação entre sujeito e objeto é feita pela ação ou atividade do sujeito/criança sobre o mundo exterior, cuja coordenação permite a penetração tanto no universo físico quanto em si mesmo. A gênese da construção cognitiva de "si mesmo" e do real está, pois, no período sensório-motor (primeiros 24 meses de vida), no qual é construída a inteligência prática e a lógica das ações. A obra escolhida como base para esta apresentação, ao lado de O Nascimento da Inteligência na Criança (1936) e, mais tarde, A Formação do Símbolo na Criança (1945), pertence à trilogia na qual Piaget se dedica a apresentar as conquistas da criança para a elaboração do universo e a passagem desse universo físico ao universo representado, das categorias práticas às categorias representativas, do período da inteligência simbólica, dos 2 aos 6 anos de idade, em média.

A INTELIGÊNCIA SENSÓRIO-MOTORA: O CONHECIMENTO ANTES DA LINGUAGEM

Para a perspectiva de Piaget, o período de 0 a 2 anos, denominado sensório-motor, é de suma importância para o desenvolvimento da inteligência, pois as construções aí efetuadas pela criança são a base para o desenvolvimento posterior. Como dito anteriormente, Piaget dedicou várias de suas obras a descrever e ilustrar as conquistas do bebê quanto à adaptação ao mundo físico num período em que a linguagem ainda não possui, para ele, a função de comunicação, sendo muito mais uma expressão de exercício fonoaudiológico e de necessidades biológicas. Da mesma forma, esse período é, para o autor, aquele em que a criança está ainda pouco submetida às influências sociais e culturais e, portanto, mais direcionada por suas capacidades biológicas e por suas construções psicológicas iniciais. Esse posicionamento interessa ao tema da construção cognitiva de si mesmo, visto que Piaget situa essa construção em época precoce da vida, menos influenciada pela interferência social e cultural. Isso não significa, entretanto, que ele não considerasse que o fato de o bebê estar cercado de pessoas, nos dois primeiros anos de vida, não influenciasse em seu desenvolvimento, mas apenas que essa interferência não era suficiente para explicar o desenvolvimento da inteligência.

A lógica das ações sensório-motoras dos dois primeiros anos de vida manifesta-se como um sistema complexo regido pelo equilíbrio entre assimilação e acomodação e construído gradativamente ao longo dos dois primeiros anos de vida da criança. Mas como a criança chega à lógica das ações?

O autor descreve, em linhas gerais, três momentos evolutivos do período sensório-motor. O primeiro, regido pelos reflexos, é basicamente organizado pelos instrumentos biológicos que a criança possui no nascimento, cujo exercício leva à construção dos primeiros hábitos motores. Estes, já sofrendo a interferência das interações com o meio, não seguem, como os reflexos, o princípio da repetição automática (estrutura de ritmo), mas apresentam modificações devidas às interações ocorridas, configurando-se como uma forma psicológica de adaptação ao mundo (regida por regulações). No contexto desse segundo momento evolutivo, o dos hábitos motores, Piaget descreve as reações circulares primária e secundária como a expressão maior do desenvolvimento, já que essas reações buscam ativamente a repetição de fenômenos "interessantes" ocorridos inicialmente por acaso. A repetição ativa leva à coordenação recíproca das ações em termos de meios e fins, permitindo a construção dos esquemas motores, forma de organização da atividade da criança que privilegia as modificações das ações, e não mais somente a sua repetição para observar os efeitos "interessantes". A coordenação recíproca dos esquemas motores promove a diferenciação entre assimilação e acomodação e a constituição da inteligência prática propriamente dita, que caracteriza o terceiro momento evolutivo. Essa inteligência prática se manifesta pela lógica das ações e pela construção das noções práticas de objeto, espaço, tempo e causalidade, que serão abordadas mais adiante.

Ao descrever os progressos da inteligência sensório-motora dos dois primeiros anos de vida, a ênfase é colocada, portanto, na atividade da criança (bebê), como matéria-prima para o desenvolvimento sensório-motor e para a dupla construção em foco (do real e de si mesmo). Em A Construção do Real na Criança (1937), Piaget segue o esquema proposto em O Nascimento da Inteligência na Criança (1936) e apresenta a evolução da construção das noções de objeto, espaço, tempo e causalidade em seis fases, relacionando-as com as construções gerais da inteligência sensório-motora e apontando as relações com a construção do "si mesmo".

A CONSTRUÇÃO DO OBJETO: DOS QUADROS SENSORIAIS AO OBJETO PERMANENTE

Para tratar deste tema, foi selecionada, dentre as categorias do real, a noção de objeto e sua evolução, que é solidária à noção de si mesmo (eu) e se relaciona intimamente com as noções de espaço, tempo e causalidade, na medida em que, para que haja um objeto diferenciado do eu, há necessariamente uma localização no espaço e no tempo e uma submissão a relações de causa e efeito. Piaget centraliza-se nas construções relativas ao real e considera que essas ocorrem ao mesmo tempo que a construção do "eu". Entretanto, opta por focalizar a construção de "si mesmo" quando descreve a fase na qual a criança/bebê manifesta, como veremos, a permanência do objeto (entre 12 e 18 meses). Assim, notamos que a construção do "si mesmo" é, para o autor, inferida a partir da elaboração do universo físico, no período sensório-motor.

A partir da evolução geral da inteligência nesse período, vê-se que na primeira e segunda fases (0-2/3 meses), tendo em vista que o bebê organiza sua atividade basicamente por meio dos reflexos e, em seguida, dos primeiros hábitos motores, não se pode dizer que exista objeto, mas apenas quadros perceptivos suscetíveis de reconhecimento e sem permanência. Na terceira fase (3-6 meses), a que corresponde à organização da atividade por meio das reações circulares secundárias, ocorre alguma permanência do objeto, mas somente como prolongamento dos movimentos de acomodação, não havendo, contudo, procura por objetos ausentes. Na quarta fase (7-12 meses), por causa da aplicação de meios conhecidos às novas situações, o bebê começa a procurar objetos desaparecidos, mas não consegue levar em conta os deslocamentos que observa em relação a esses objetos. Na quinta fase (12-18 meses), a organização propiciada pelas reações circulares terciárias permite que o objeto seja constituído como substância individual permanente e inserido em grupos de deslocamentos (no espaço). Contudo, não se consideram mudanças de posição fora do campo da percepção direta. Finalmente, na sexta fase (18-24 meses), a criança manifesta estar representando objetos ausentes e seus deslocamentos, o que permite concluir que a permanência do objeto e a independência da percepção estão consolidadas. Com a diferenciação entre assimilação e acomodação, ocorre também a separação entre sujeito e objeto, entre o real e o "si mesmo". E mais: com a elaboração do universo físico, o "eu" é agora concebido como um objeto entre outros e também como um sujeito ativo no ambiente. A noção de permanência do objeto é, pois, o sinal máximo de que a criança considera o mundo independente de suas ações e de si mesma e de que está preparada para manifestar a consciência de si própria.

AS DUAS PRIMEIRAS FASES: CENTRAÇÃO NA ATIVIDADE E AUSÊNCIA DE PERMANÊNCIA

Piaget resume estas fases dizendo que não há qualquer sinal observável de um comportamento especial em relação a objetos desaparecidos. O único comportamento utilizado para reencontrar o objeto é a simples repetição das acomodações anteriores. O exemplo mais evidente é o do bebê que segue com os olhos desde cedo (2 meses) um objeto e, no momento em que este sai de seu campo visual, permanece olhando na mesma direção até que o objeto apareça novamente.

A TERCEIRA FASE: INÍCIO DA DESCENTRALIZAÇÃO RUMO À PERMANÊNCIA

Em A Construção do Real na Criança, lê-se que os comportamentos desta fase atestam "um progresso na consolidação do universo dependente da ação própria". Isso significa que o bebê, entre os 3 e 6 meses, apresenta comportamentos que inicialmente prolongam os da fase anterior, mas, ao fim, já expressam grande progresso rumo à permanência. Nota-se, a esse respeito, que o bebê antecipa as posições do objeto e lhes confere certa permanência, mas ainda totalmente ligado ao ato de acomodação, e não ao objeto propriamente dito. Piaget denominou esse comportamento de "acomodação visual aos movimentos rápidos". Vejamos um exemplo: Aos 5 meses e 24 dias, "pelo contrário, Laurent procura diante dele uma bola de papel que deixo cair sobre o seu cobertor. Passa mesmo a olhar para o cobertor, desde o terceiro ensaio, mas só para a sua frente, isto é, para o local onde ele acabara de ver a bola; quando deixo cair o objeto fora do berço, Laurent não o procura (exceto em redor da minha mão vazia, que permanece no ar)".

A partir desse tipo de comportamento, a criança vai evoluir e procurar o objeto em outro local, sem, contudo, desvinculá-lo da própria ação. Outros comportamentos estudados por Piaget foram denominados "reconstituição de um todo invisível a partir de uma fração visível" e "supressão de obstáculos à percepção". Ambos denotam avanços no sentido de que o bebê parece estar conservando algo da situação em que o objeto se encontra. No entanto, o que se conserva parece ser muito mais aspectos de suas ações em relação aos objetos do que estes últimos.

Vejamos outros exemplos tirados também de A Construção do Real na Criança.

"Lucienne", aos 8 meses e 15 dias, "olha para uma cegonha de celuloide que acabo de tirar-lhe das mãos e cubro com uma toalha. Ela não tenta levantar a toalha para apoderar-se do brinquedo... Mas, quando uma parte da cegonha aparece fora da toalha, Lucienne agarra prontamente essa extremidade, como se reconhecesse a totalidade do animal."

Aos 7 meses e 29 dias, "Jacqueline está escondida sob o seu travesseiro (que ela própria colocou sobre o rosto). Chamo-a: ela desembaraça-se prontamente desse obstáculo para me olhar".

Aos 8 meses e 12 dias, "coloco-lhe o travesseiro sobre o rosto: ela retira-o incontinênti, rindo às gargalhadas, e procura logo ver quem está perto dela".

Aos 8 meses e 13 dias, "Jacqueline tem o lençol sobre o rosto. Ao ouvir os meus passos, quando me aproximo, descobre-se imediatamente".

É importante ressaltar que, para Piaget, esses comportamentos não atestam a existência de objetos propriamente ditos, mas demonstram que estes ficam "à disposição" e exclusivamente ligados às ações. Há, portanto, permanência global da percepção, totalmente prática, que repousa na constância das ações. Assim, o que está oculto por um obstáculo parece ser concebido como algo que está em via de aparecer, cuja realidade total só é conferida pelas ações a ele dirigidas. Assim, o autor considera que o que a criança faz nesta fase é muito mais libertar a percepção do que libertar o objeto escondido (seja este objeto um brinquedo, seja ela própria), pois não demonstra possuir as noções de "atrás" ou "defronte", o que lhe permitiria considerar um objeto em relação a outro. Apesar dessas considerações, Piaget considera que as experiências desse tipo permitirão à criança construir tais noções, as quais serão fundamentais para a permanência do objeto.

A QUARTA FASE: BUSCA ATIVA DO OBJETO DESAPARECIDO

O maior avanço desta fase em relação à anterior é a busca ativa pelo objeto desaparecido fora do campo da percepção, o que indica que o objeto não está mais exclusivamente ligado ao movimento de acomodação. Isso é possível porque a criança passou a estudar os deslocamentos dos corpos (apanhando-os, balançando-os etc.) e, assim, passou a coordenar a sua permanência visual com a permanência tátil, o que não ocorria anteriormente. O que é um avanço em relação à fase anterior não indica, entretanto, a existência de objeto independente da atividade, o que é demonstrado pelo fato de a criança não acompanhar a sucessão dos deslocamentos visíveis para recuperar o objeto, como vemos no exemplo trazido por Piaget: "Laurent", aos 8 meses e 29 dias, "diverte-se com uma caixa de latão. Tomo-lha e coloco-a sob o seu travesseiro; ao passo que, quatro dias antes, a criança não reagia em circunstâncias semelhantes; desta vez apanha o travesseiro e enxerga a caixa de que se apodera imediatamente. A mesma reação em uma segunda prova. Mas foi mero acaso ou comportamento intencional? Existe, sem dúvida, uma simples tentativa, por parte de Laurent, não se tratando ainda de uma antecipação real. Disso é prova a sua inércia quando modifico um pouco as condições da experiência. Na terceira prova, coloco a caixa a 15 cm dele e, quando estende a mão, cubro o objeto com o mesmo travesseiro: Laurent retira prontamente a mão".

A tendência é, pois, que a criança procure o objeto na primeira posição na qual o observou, mesmo quando observa seu deslocamento para outras posições.

A QUINTA FASE: CONSIDERAÇÃO DOS DESLOCAMENTOS SUCESSIVOS DO OBJETO

O que caracteriza esta fase é a conquista de relações especiais que possibilitam à criança considerar os deslocamentos sucessivos do objeto sem se perder em seu campo visual. Como decorrência dessa conquista, ela passa a procurar o objeto numa posição privilegiada e passa a buscá-lo somente na posição que resulta do último deslocamento percebido. É o que indica este exemplo: Com 1 ano e 26 dias, "Jacqueline me vê esconder o meu relógio sob a almofada A, à sua esquerda, depois sob a almofada B, à sua direita; neste último caso, ela procura logo no lugar certo. Se afundo ainda mais o objeto, ela busca-o demoradamente e depois desiste, mas já não retorna a A para o encontrar".

Apesar dos avanços alcançados nesta fase, a criança ainda tem dificuldades para considerar também os deslocamentos invisíveis, o que será efetuado apenas na próxima fase.

A SEXTA FASE: A REPRESENTAÇÃO DOS DESLOCAMENTOS INVISÍVEIS

Nesta última fase do período sensório-motor, a criança passa a resolver os problemas ligados aos deslocamentos visíveis e invisíveis dos objetos graças a um novo método: o da representação. Por essa razão, esta fase atesta a passagem da inteligência sensório-motora para a inteligência representacional, a qual se desenvolverá no período de 2 a 6 anos de idade. Ao considerar também a maior parte dos deslocamentos invisíveis juntamente com os visíveis, a criança pode, enfim, demonstrar a permanência do objeto, enquanto algo dotado de substância, localizado no espaço e no tempo e submetido a relações causais que não dependem exclusivamente de sua atividade. Vejamos um exemplo desse avanço: "Jacqueline", com 1 ano, 7 meses e 20 dias, "observa-me enquanto ponho um franco na minha mão, fecho-a e meto-a debaixo de um pano. Retiro a mão fechada. Jacqueline abre-a, depois busca o franco sob o pano, até o achar. Então retomo a moeda e deslizo minha mão fechada sob uma almofada que está do outro lado (à esquerda de Jacqueline e não mais à sua direita): Jacqueline vai logo procurar a moeda debaixo da almofada. Repito a experiência, escondendo o franco debaixo de um casaco: Jacqueline descobre-o sem hesitação".

Piaget conclui que, quanto à constituição do objeto, os comportamentos da sexta fase revelam que o objeto se libertou definitivamente tanto da percepção como da ação do "eu", para obedecer a leis autônomas. Com o ingresso num sistema de representações, os objetos, e entre eles o "eu", adquirem, para a consciência da criança, permanência, ou seja, são concebidos como idênticos a si próprios, sejam quais forem os seus deslocamentos visíveis e invisíveis. Deve-se ressaltar que, para Piaget, a verdadeira representação só ocorre quando nenhum indício perceptivo comanda a permanência, isto é, a partir do momento em que o objeto desaparecido se desloca segundo um roteiro que a criança só pode deduzir, e não perceber diretamente.

O "SI MESMO": OBJETO E SUJEITO DO CONHECIMENTO

Podemos, então, sintetizar a construção cognitiva do "si mesmo", para Piaget, dizendo que esta se dá já nos primeiros dois anos de vida da criança, juntamente com as construções práticas de objeto, espaço, tempo e causalidade. Com o advento da noção objetiva do real, surgem também a consciência do "eu" ou do "si mesmo" e a possibilidade prática de sua constituição, ao mesmo tempo, como objeto entre os outros objetos e como sujeito das ações sobre o mundo, o que revela a dupla construção postulada por Piaget: do mundo e de si mesmo. É importante reafirmar, a esse respeito e de acordo com a perspectiva piagetiana, que essa construção dupla eu/mundo se dá justamente num momento da vida em que a criança está menos submetida aos efeitos advindos do contato social e cultural mais amplo e dirigida mais por suas capacidades biológicas e psicológicas iniciais. Todavia, isso não significa dizer que esse autor considerasse que o bebê, até os 24 meses de idade, não incluísse os contatos sociais e afetivos com as pessoas em suas construções cognitivas e suas adaptações ao mundo, mas apenas que esses contatos não seriam suficientes para determinar a "lógica" de suas ações.

Na obra A Psicologia da Criança (1966), sobre os aspectos afetivos das reações sensório-motoras, afirma Piaget: "enquanto o esquematismo cognitivo passa de um estado inicial centrado na ação própria à construção de um universo objetivo e descentrado, a afetividade dos mesmos níveis sensório-motores procede de um estado de não diferenciação entre o eu e todos os elementos físicos e humanos que o cercam, para construir, em seguida, um conjunto de trocas entre o eu diferenciado e as pessoas (sentimentos interindividuais) ou as coisas (interesses variados conforme os níveis)".

Nessa citação, nota-se a concepção de Piaget sobre o desenvolvimento da afetividade da criança: uma evolução paralela à da inteligência e que segue os mesmos passos e movimento evolutivos. A afetividade não pode, assim, interferir nas construções cognitivas, sendo responsável apenas pelo ritmo dessas construções. Esse posicionamento a respeito das relações entre afetividade e inteligência reflete a opção epistemológica do autor, explicitando as ênfases de seu modelo teórico: a construção cognitiva do conhecimento e a teoria da inteligência.

Sobre a construção de si mesmo, a perspectiva piagetiana focaliza, então, mais os aspectos cognitivos, aqui abordados, do que os elementos afetivos aí inseridos. Seria interessante pensar, por exemplo, nos efeitos do experimentador, que observa a evolução sensório-motora, sobre o bebê, sobretudo se este experimentador tiver relações de parentesco com a criança sob observação, o que ocorreu no caso de Piaget. Nesse caso, não se trata apenas de um contato social, mas também de uma relação afetiva significativa para o bebê, a qual interfere em sua atividade. Não se pode dizer que Piaget desconsiderasse a presença dos aspectos afetivos, mas apenas que não os inseriu na estruturação das condutas infantis, por conceber que a interferência, nesse caso, era mais de conteúdo que de forma. A afetividade não seria capaz de construir novas organizações da atividade (estruturas), mas teria um efeito sobre o funcionamento global dos comportamentos e ações, em termos do ritmo, acelerando-o ou retardando-o.

Assim, ainda que Piaget não se tenha referido aos possíveis efeitos sociais e afetivos, reconhece sua importância para as construções e elaborações infantis, não somente no período sensório-motor, mas em todos os níveis de desenvolvimento, sem deixar de insistir na sua posição de que esses efeitos são necessários, mas não suficientes, para explicar a evolução psicológica da criança.

Se a consciência de si mesmo necessita das construções de objeto, espaço, tempo e causalidade, pois, como vimos, o eu é também um objeto de conhecimento para a criança, a questão talvez seja a de compreender mais precisamente o papel dos objetos afetivos, em comparação aos objetos que compõem o universo físico elaborado durante o período sensório-motor. O objeto "eu", localizado no espaço e no tempo e inserido num sistema de relações causais, é também objeto que gera sentimentos na criança, assim como o objeto "outro". Esses sentimentos, pouco estudados por Piaget, são mencionados em A Psicologia da Criança e relacionados às situações de satisfação orgânica e psicológica. A esse respeito, Piaget recorre a Spitz, Escalona e Freud, os quais se dedicaram a descrever os detalhes dos aspectos afetivos das condutas do bebê e suas relações com o desenvolvimento psicológico e, mais detidamente, as relações entre o "eu" e a libido (energia sexual). Para esses autores, o momento em que ocorre o aparecimento das relações objetais marca a "dupla constituição de um eu diferenciado do alheio e de um alheio que se torna objeto de afetividade".

Em A Formação do Símbolo na Criança, Piaget já havia diferenciado os objetos "pessoas" dos objetos físicos, ao tratar dos esquemas afetivos e do símbolo, este último, para ele, carregado de afetividade. No entanto, concebe os esquemas afetivos da mesma forma que os esquemas motores, definindo-os de maneira equivalente. O símbolo, enquanto construção individual, é possível graças às construções anteriores do si mesmo e dos objetos físicos, os quais permitem ao bebê superar o egocentrismo radical em que se encontrava, que o conduzia a não diferenciar sua atividade dos objetos sobre os quais as atividades se realizavam. A passagem gradativa da centração na atividade própria para a diferenciação entre eu e mundo concede ao bebê, nesse nível, a possibilidade de romper com o egocentrismo, permitindo-lhe elevar as noções práticas da realidade a um novo patamar: o da representação. Nunca é demais lembrar que essa passagem não se dá com facilidade e sem trabalho para a criança, que terá de reconstruir no novo nível e com a nova forma de organização tudo o que foi construído no nível anterior. Assim sendo, o si mesmo será, também, reconstruído e passará a ser representado, enriquecido pela conquista da linguagem e expansão da vida social.

Considerando os aspectos da obra piagetiana destacados aqui, ressaltamos, mais uma vez, a importância das primeiras construções cognitivas efetuadas pela criança, com destaque para as noções de si mesmo e de objeto, as quais são, para Piaget, a base sobre a qual as novas construções relativas ao eu e ao mundo se assentarão, expressando, assim, os momentos do desenvolvimento psicológico. Investigações sobre a noção de si mesmo nos aspectos cognitivos e afetivos e em diferentes momentos da vida dos sujeitos contribuirão grandemente para a discussão das relações entre afetividade e cognição no desenvolvimento psicológico.

Excertos

CAMINHOS PARA O CONHECIMENTO

por Orly Zucatto Mantovani de Assis,
Maria A. Belintane Fermiano e Valéria C. Borsato Cantelli

A consciência da necessidade de uma educação ativa, com métodos pedagógicos adequados às características cognitivas dos alunos, manifestou-se a partir da década de 20 na obra do autor, e o acompanhou por toda a vida

A inestimável contribuição da teoria piagetiana pode ser observada nos cuidadosos procedimentos científicos de verificação de suas ideias, culminando com a criação de uma epistemologia genética que desvendou como o ser humano passa de "estados de conhecimento mínimo aos de conhecimento mais avançado" e de uma psicologia genética que, utilizando-se da psicologia da criança, busca traçar os caminhos que os sujeitos epistêmico e psicológico percorrem na construção do conhecimento. Os reflexos de sua vasta obra podem ser observados nos diferentes campos do conhecimento.

Piaget escreveu vários textos sobre educação, no entanto, nem todos estão disponíveis em língua portuguesa ou foram editados em livros. Em sua autobiografia, demonstrando, como sempre, espírito questionador diante das mais diversas situações, apresenta seu encanto com as respostas erradas ou insucessos das crianças nos testes psicológicos que aplicava no Laboratório de Binet e Simon, em Paris. Sua deferência a tais desempenhos é um bom exemplo de conduta construtivista para a educação, ou seja, encontrou nas respostas das crianças fonte inesgotável de problemas para serem investigados pelas pesquisas que desenvolveu.

Sua obra tem o sentido de uma filosofia biológica, pois, sem ter jamais abandonado seus interesses filosóficos, buscava descobrir uma embriogênese do conhecimento, uma vez que a relação entre organismo e meio ambiente também ocorre no âmbito do conhecimento. Piaget defendia a cooperação entre indivíduos para que houvesse tanto o equilíbrio como as reequilibrações necessárias para o desenvolvimento do pensamento. Tal cooperação favorece a construção de uma autonomia, tão necessária ao convívio social, à tolerância, à troca de pontos de vista. Sua consciência sobre a necessidade de uma educação ativa, com aperfeiçoamento de métodos pedagógicos adequados às características cognitivas dos alunos, manifestou-se desde o final da década de 1920 e se estende por toda sua obra.

Piaget, apoiado no fato de que o conhecimento não é predeterminado nem emana diretamente dos objetos, evidencia o seu caráter dinâmico e processual, fundamentando sua concepção epistemológica na ideia de que o ato de conhecer exige uma interação necessária entre o sujeito que conhece e o objeto conhecido. Dessa forma, a imagem que Piaget oferece do ser humano é a daquele que constrói sua inteligência simultaneamente com as representações que estabelece da realidade, ou seja, a imagem de um *homo faber* de si mesmo.

Notadamente, Piaget dedicou-se a pesquisar a lógica e a matemática para compreender como o conhecimento é produzido. No decorrer de seus anos de estudo, observou a íntima relação existente entre o desenvolvimento do conhecimento lógico e a sua evolução na história das ciências. Entender como ocorreram as descobertas do homem ao longo de sua história possibilita pensar o contexto das explicações do desenvolvimento desse conhecimento. Ora, retroceder no tempo para entender o processo histórico, e como ocorre a evolução científica, torna possível avaliar influências que interferem nesse processo. E assim entender que, talvez, pela obviedade da importância do social e seu caráter indissociável do desenvolvimento humano, Piaget não tenha escrito com clareza suficiente para satisfazer a todos. É do estilo do autor escrever dialeticamente, pois sua teoria assim o é. Dessa forma, o leitor deve estabelecer constantemente relação parte-todo para a compreensão da teoria piagetiana.

A criação de uma epistemologia genética está apoiada no método psicogenético. Este, por sua vez, tira partido do método histórico-crítico. Assim, a visão de gênese do conhecimento, proposta por Piaget, é aprofundada pelo estudo histórico do pensamento científico, que foi se renovando incessantemente.

Os excertos que se seguem representam caminhos para o conhecimento. Pinçados das obras do mestre, demonstram algumas de suas ideias sobre a pesquisa científica, a epistemologia e psicologia genéticas, a construção do conhecimento, o aspecto social do conhecimento e a educação.

A PESQUISA CIENTÍFICA

"[...] a iniciação em malacologia me influenciou muito [...]. Esses estudos, embora prematuros, foram, entretanto, muito úteis à minha formação científica; funcionaram ainda, se posso dizer, como instrumentos de proteção contra o demônio da filosofia. Graças a eles, tive o raro privilégio de assimilar uma ideia breve sobre ciências e o que ela representa, antes de sofrer as crises filosóficas da adolescência. Ter tido a experiência precoce desses dois tipos de problemáticas constituiu, estou convencido, a força motriz secreta de minha atividade ulterior em psicologia" ("Autobiographie". In: Busino, C. (ed.). Les Sciences Sociales avec et après Jean Piaget. Cahiers Vilfredo Pareto. Revue Européenne des Sciences Sociales (Genève), v. 14, n. 38139, 1976, p. 3).

EPISTEMOLOGIA E PSICOLOGIA GENÉTICA

"Na sua forma limitada ou especial, a epistemologia genética é o estudo dos estados sucessivos de uma ciência S em função de seu desenvolvimento. [...] Considerando que uma ciência é uma instituição social, um conjunto de condutas psicológicas e um sistema sui generis de sinais e de comportamentos cognoscitivos, uma análise racional do seu desenvolvimento teria que abarcar conjuntamente esses três aspectos. O aspecto psicológico prevaleceria sobre os demais, já que se trata do fenômeno cujas leis e explicação se quer averiguar, mas os outros dois não poderiam se dissociar, na medida em que proporcionam os fatores eventuais dessa explicação" (Epistemologia

Genética e Pesquisa Epistemológica. Trad. Equipe da Livraria Freitas Bastos. Rio de Janeiro: Freitas Bastos, [1957] 1974, p. 19).

"Chama-se psicologia genética o estudo do desenvolvimento das funções mentais, na medida em que esse desenvolvimento possa fornecer explicação ou, pelo menos, complemento de informação, quanto a seus mecanismos, no estado alcançado. Em outras palavras, a psicologia genética consiste em utilizar a psicologia da criança para encontrar a solução dos problemas psicológicos gerais" (Psicologia e Epistemologia. Por uma Teoria do Conhecimento. Trad. Agnes Cretella. Rio de Janeiro: Forense, 1973, p. 51).

"Convém ter sempre em mente que é necessário recorrer frequentemente à história das ciências e à sociogênese em geral para completar os dados da psicologia da criança. Mais tarde ou mais cedo dever-se-á tratar, em particular, de completar os trabalhos experimentais sobre a inteligência e a percepção na criança e no adolescente por meio de uma análise psicossociológica do pensamento real dos adultos [...]" (Epistemologia Genética e Pesquisa Epistemológica, op. cit., p. 29).

"[...] não existem conhecimentos resultantes de um registro simples de observações, sem uma estruturação devida às atividades do sujeito. Mas também não existem (no homem) estruturas cognitivas a priori ou inatas; só o funcionamento da inteligência é hereditário e só engendra uma organização de ações sucessivas exercidas sobre os objetos. Daí resulta que uma epistemologia conforme os dados da psicogênese não poderia ser nem empirista, nem preformista, mas consiste apenas num construtivismo, com a elaboração contínua de operações e de estruturas novas" ("A Psicogênese dos Conhecimentos e a sua Significação Epistemológica". In: Piatelli-Palmarini, M. (org.). Teorias da Linguagem, Teorias da Aprendizagem: o Debate entre Jean Piaget e Noan Chomsky. São Paulo: Cultrix, [1978] 1987, p. 51).

A CONSTRUÇÃO DO CONHECIMENTO

"No momento do nascimento, a criança dispõe de uma série de condutas reflexas como sugar, chorar, espirrar, agarrar [...]. A partir deste momento irão se produzindo, por diferenciação, outras condutas mais complexas que são chamadas de esquemas, que seriam unidades básicas da atividade mental. Este processo de diferenciação é o resultado da adaptação do organismo ao meio, adaptação que lhe permite sobreviver quando há mudanças nas condições ambientais" ("A Psicogênese dos Conhecimentos e a sua Significação Epistemológica", op. cit., p. 46).

"[...] a estrutura cognitiva é o sistema das conexões que o indivíduo pode e deve utilizar e não se reduz absolutamente ao conteúdo de seu pensamento consciente, pois é o que lhe impõem certas formas mais do que outras, e isso segundo níveis sucessivos de desenvolvimento cuja fonte inconsciente remonta até às coordenações nervosas e orgânicas" (Problemas de Psicologia Genética. Trad. Célia Di Piero. Rio de Janeiro: Forense, 1973, p. 35).

"Conhecer o objeto é agir sobre ele e transformá-lo, aprendendo os mecanismos dessa transformação vinculados com as ações transformadoras. Conhecer é, pois, assimilar o real às estruturas de transformações, e são as estruturas elaboradas pela inteligência enquanto prolongamento direto da ação" (Psicologia e Pedagogia. Trad. Dirceu A. Lindoso. Rio de Janeiro: Forense, [1969] 1976, p. 37).

"Logo, existe uma diferença entre aprender um resultado e formar um instrumento intelectual, formar uma lógica necessária à construção de tal resultado. Não formamos um instrumento novo de raciocínio em alguns dias" (Psicologia e Pedagogia, op. cit., p. 13).

"[...] todo organismo possui uma estrutura permanente, que se pode modificar sob as influências do meio, mas não se destrói jamais enquanto estrutura de conjunto, todo conhecimento é sempre assimilação de um dado exterior às estruturas do sujeito [...] os fatores normativos do pensamento correspondem biologicamente a uma necessidade de equilíbrio por autorregulação: assim a lógica poderia corresponder no sujeito a um processo de equilibração" (Sabedoria e Ilusões da Filosofia. Trad. Zilda A. Daeir. In: Piaget. São Paulo: Abril Cultural, [1969] 1978 [Os pensadores], p. 74).

"Na experiência da criança [...] as situações com as quais se defronta são geradas por seu meio social e as coisas aparecem em contextos que lhes outorgam significações especiais [...]. Portanto, se assimilam situações nas quais os objetos desempenham certos papéis e não outros" (Psicogênese e História das Ciências. Lisboa: Dom Quixote, [1983] 1987, p. 228).

O ASPECTO SOCIAL DO DESENVOLVIMENTO

"O ser humano, desde o seu nascimento, se encontra submerso em um meio social que atua sobre ele do mesmo modo que o meio físico. Mais ainda, em certo sentido, que o meio físico, a sociedade transforma o indivíduo em sua própria estrutura, porque não somente o obriga a reconhecer fatos, mas lhe fornece um sistema de signos completamente construído que modifica seu pensamento, propõe-lhe valores novos, e impõe-lhe uma cadeia indefinida de obrigações. É, portanto, evidente que a vida social transforma a inteligência pelo tresdobro intermediário da linguagem (signos), pelo conteúdo das permutas (valores intelectuais), pelas regras impostas ao pensamento (normas coletivas, lógicas ou pré-lógicas)" (Psicologia da Inteligência. Trad. Nathanael C. Caixeiro. Rio de Janeiro: Zahar, [1947] 1977, p. 205).

"Com efeito, podemos distinguir dois aspectos no desenvolvimento intelectual da criança. Por um lado, o que podemos chamar o aspecto psicossocial, quer dizer, tudo o que a criança recebe do exterior, aprende por transmissão familiar, escolar, educativa em geral; e depois, existe o desenvolvimento que podemos chamar espontâneo, que chamarei psicológico, para abreviar, que é o desenvolvimento da inteligência mesma: o que a criança aprende por si mesma, o que não lhe foi ensinado, mas o que ela deve descobrir [...]" (Problemas de Psicologia Genética, op. cit., p. 8).

"Educar é adaptar o indivíduo ao meio social ambiente. [...] A educação moderna só poderia, portanto, ser compreendida em seus métodos e suas aplicações tomando-se o cuidado de analisar em detalhes os seus princípios e de controlar o seu valor psicológico pelo menos em quatro pontos: a significação da infância, a estrutura do pensamento da criança, as leis de desenvolvimento e o mecanismo da vida social infantil" (Psicologia e Pedagogia, op. cit., p. 154).

"[...] para aprender [...] a raciocinar logicamente é indispensável que se estabeleçam entre os outros e a gente mesma essas relações de diferenciação e de reciprocidade simultâneas que caracterizam a coordenação dos pontos de vista" (Psicologia da Inteligência. Trad. Egléa de Alencar. 2ª ed. Rio de Janeiro: Fundo de Cultura, [1956] 1967, p.208).

"Falar de um direito à educação é, pois, em primeiro lugar, reconhecer o papel indispensável dos fatores sociais na própria formação do indivíduo" (Para Onde Vai a Educação? Trad. Ivette Braga. 16ª ed. Rio de Janeiro: José Olympio, [1948] 2002, p. 29).

A AFETIVIDADE

"Certamente a afetividade ou sua privação podem ser a causa de aceleração ou atraso no desenvolvimento cognitivo [...]. Mas isso não significa que a afetividade engendre, nem mesmo modifique as estruturas cognitivas, cuja necessidade permanece intrínseca. De fato, os mecanismos afetivos e cognitivos permanecem sempre indissociáveis se bem que distintos, e isso é evidente se uns dependem de uma energética e outros de estruturas" (Problemas de Psicologia Genética, op. cit., p. 47).

A EDUCAÇÃO

"Se se deseja, como necessariamente se faz cada vez mais sentir, formar indivíduos capazes de criar e de trazer progresso à sociedade de amanhã, é claro que uma educação ativa verdadeira é superior a uma educação consistente apenas em moldar os assuntos do querer pelo já estabelecido e os do saber pelas verdades simplesmente aceitas [...]" (Psicologia e Pedagogia, op. cit., p. 34).

"Conquistar por si mesmo um certo saber, com a realização de pesquisas livres, e por meio de um esforço espontâneo, levará a retê-lo muito mais; isso possibilitará sobretudo ao aluno a aquisição de um método que lhe será útil por toda a vida e aumentará permanentemente a sua curiosidade, sem o risco de estancá-la [...]" (Para Onde Vai a Educação?, op. cit., p. 54).

"A 'escola ativa' baseia-se na ideia de que as matérias a serem ensinadas à criança não devem ser impostas de fora, mas redescobertas pela criança por meio de uma verdadeira investigação e de uma atividade espontânea. 'Atividade' se opõe, assim, à receptividade. A educação moral ativa supõe, consequentemente, que a criança possa fazer experiências morais e que a escola constitua um meio próprio a tais experiências" (Sobre a Pedagogia. Textos Inéditos. Trad. Claudia Berliner. São Paulo: Casa do Psicólogo, [1930] 1998, p. 42).

"[...] Em resumo, o princípio fundamental dos métodos ativos só pode se beneficiar com a História das Ciências e assim pode ser expresso: compreender é inventar, ou reconstruir através da reinvenção, e será preciso curvar-se ante tais indivíduos capazes de produzir ou de criar, e não apenas de repetir" (Para Onde Vai a Educação?, op. cit., p. 17).

"[...] não se aprende a experimentar vendo simplesmente o mestre experimentar ou se entregando aos exercícios já totalmente organizados: não se aprende a experimentar senão tateando por si mesmo, trabalhando ativamente, isto é, livremente e dispondo de todo o tempo [...] É muito mais fácil raciocinar que experimentar" ("Remarques Psychologiques sur l'Enseignement Élémentaire des Sciences Naturelles". In: L'Iniciation aux Sciences Naturelles à l'École Primaire. Genebra: Bureau International d'Éducation, p. 39).

"É pelo fato do jogo ser um meio tão poderoso para a aprendizagem das crianças, que em todo lugar onde se consegue transformar em jogo a iniciação à leitura, ao cálculo, ou à ortografia, observa-se que as crianças se apaixonam por essas ocupações comumente tidas como maçantes" (Psicologia e Pedagogia, op. cit., p. 158).

"[...] eu não creio, com efeito, que exista uma pedagogia universal. O que é comum a todos os sistemas de educação é a própria criança, ou pelo menos certos traços gerais de sua psicologia" ("Discours Du Directeur". In: Troisième Conférence International de l'Instruction Publique: Process-Verbaux et Resolutions. Genebra: Bureau International d'Éducation, 1934, p. 94).

"É inegável que as pesquisas dos psicólogos estão no ponto de partida de quase todas as inovações, de ordem metodológica e didática, desses últimos decênios. É inútil lembrar que todo método que faz apelo aos interesses e à atividade real dos alunos é inspirado na psicologia genética" (Rapport du Directeur à la Septième Réunion du Conseil. Genebra: Bureau International d'Éducation, p. 14).

"Afirmar o direito da pessoa humana à educação é, pois, assumir uma responsabilidade muito mais pesada que a de assegurar a cada um a possibilidade da leitura, da escrita e do cálculo: significa, a rigor, garantir para toda criança o pleno desenvolvimento de suas funções mentais e a aquisição dos conhecimentos, bem como dos valores morais que correspondam ao exercício dessas funções, até a adaptação à vida social atual. [...]" (Para Onde Vai a Educação?, op. cit., p. 34).

"A cooperação supõe, então, a autonomia dos indivíduos, ou seja, a liberdade de pensamento, a liberdade moral e a liberdade política. Mas é preciso compreender que a liberdade, oriunda da cooperação, não é anomia ou anarquia: ela é autonomia; ou seja, a submissão do indivíduo a uma disciplina que ele mesmo escolhe e para a constituição da qual ele colabora com toda sua personalidade" (Sobre a Pedagogia. Textos Inéditos, op. cit., p. 154).

"Afirmar que o indivíduo só alcança a lógica graças à cooperação significa supor simplesmente que o equilíbrio de suas operações está subordinado a uma capacidade indefinida de intercâmbio com outrem, portanto, subordinado a uma grande reciprocidade completa". (Psicologia da Inteligência, op. cit., p. 211).

"[...] a preparação dos professores [...] constitui realmente a questão primordial de todas as reformas pedagógicas em perspectiva, pois, enquanto não for a mesma resolvida de forma satisfatória, será totalmente inútil organizar belos programas ou construir belas teorias a respeito do que deveria ser realizado. [...] Ora, esse assunto apresenta dois aspectos. Em primeiro lugar existe o problema social da valorização ou da revalorização do corpo docente [...], a cujos serviços não é atribuído o devido valor pela opinião pública, donde o desinteresse e a penúria que se apoderam dessas profissões e que constituem um dos maiores perigos para o progresso, e o mesmo para a sobrevivência de nossas civilizações doentes. A seguir, existe a formação intelectual e moral do corpo docente, problema muito difícil, pois quanto melhores são os métodos preconizados para o ensino mais penoso se torna o ofício de professor, que pressupõe não só o nível de uma elite do ponto de vista dos conhecimentos do aluno e das matérias, como também uma verdadeira vocação para o exercício da profissão". (Para Onde Vai a Educação?, op. cit., pp. 25-26).

Bibliografia comentada

A ESPIRAL DAS IDEIAS E DO CONHECIMENTO

por Orly Zucatto Mantovani de Assis, Valéria C. Borsato Cantelli
e Maria A. Belintane Fermiano

Obra do autor pode ser analisada a partir de quatro momentos que significam diferentes aportes do ponto de vista dos campos teóricos com os quais trabalhou

Os 70 anos de trabalho de Jean Piaget (1896-1980) foram de uma produção ímpar, fruto de uma vida dedicada à pesquisa para compreender como ocorre o processo de conhecimento. Suas investigações assumiram um caráter interdisciplinar e contaram com inúmeros colaboradores. Revolucionaram a psicologia e transformaram a epistemologia genética em ciência experimental. Essas descobertas, replicadas, nos mais diferentes contextos culturais e sociais, trouxeram novas bases para a compreensão do desenvolvimento humano.

Durante toda sua vida, manteve-se fiel às suas preocupações epistemológicas, ou seja, desvendar quais os processos de formação do conhecimento e identificar suas etapas. E como grande pensador e cientista, Piaget antecipou o estudo de temas para além de sua época, abrindo importantes campos de investigação como na área da moralidade, cibernética, microgênese, linguística, lógica, física, matemática, ciências sociais e tantas outras. Na verdade, ao longo de toda sua vida defendeu a ideia de que a ciência tem uma relação circular e, de preferência, em espiral, porque a lógica que utilizamos para pensar não é inata, mas deriva das estruturas do sujeito agindo sobre os objetos do conhecimento e refletindo a respeito das reações destes últimos às suas ações.

Esse espírito científico não resultou do acaso. Piaget teve uma oportunidade ímpar em sua vida, a de ter sido um "assistente de malacologia" quando tinha 11 anos. O trabalho de revisão das coleções de moluscos, suas classificações e tantas outras tarefas, possibilitou-lhe a rara construção de um espírito investigador e fez com que pensasse, como ele mesmo diz, "permanentemente em termos de formas e de evolução das formas".

Hoje, passados quase trinta anos de sua morte, observa-se que o legado de Piaget continua através dos estudos de diversos pesquisadores nos diferentes continentes. Magali Bovet, Luisa Morgado, Jean-Marie Dolle, Juan Delval, Silvia Parrat-Dayan, Rolando Garcia, Emilia Ferreiro, Ileana Enesco, Marianela Denegri Coria, David Elkind, Denis Belano, Fernando Vidal, Jean-Blaise Grize, Lawrence Kohlberg, Hans Furth, Constance Kamii, Retha Devries, Orlando Lourenço, Genoveva Sastre, Montserrat Moreno, Anna Berti, Anna Bombi, Maria Dolors Busquets Prat, Jacques Montangero, Jacques Vonèche e muitos outros não citados aqui seguem em suas investigações os caminhos trilhados por ele.

No Brasil, também se encontra um número significativo de autores que se dedicam à divulgação das ideias piagetianas. Dentre eles podem-se destacar: Amélia Domingues de Castro, Zélia Ramozzi-Chiarottino, Lauro de Oliveira Lima, Orly Z. Mantovani de Assis, Lino de Macedo, Yves de La Taille, Fernando Becker, Adrian O. Dongo Montoya, Bárbara Freitag, Lea Fagundes, Carmem Campoy Scriptori, Maria da Gloria Seber, Rosely P. Brenelli, Maria Suzana S. Menin, Telma P. Vinha, Luciene R. P. Tognetta, Áurea M. de Oliveira, Lia L. Zaia, Maria Regina Maluf, Tania Stoltz, Maria Thereza C. C. de Souza, Maria Teresa Égler Mantoan e muitos outros de igual importância.

MOMENTOS TEÓRICOS

A vastidão e a complexidade da obra de Piaget permitem analisá-la sob vários aspectos. Nesta seção, apresentaremos quatro momentos teóricos de sua obra, além de fornecermos elementos para o leitor situar-se quanto aos percursos dos estudos piagetianos. Veremos também dois textos significativos para a educação.

O primeiro discorre sobre as pesquisas que Piaget realizou para demonstrar a relação entre lógica e aprendizagem; o segundo, Psicologia e Pedagogia, traz relevantes contribuições à educação enfatizando a importância dos métodos ativos para a atividade mental do aluno. É conveniente destacar que as produções de Piaget não se esgotam neste espaço. Para uma pesquisa bibliográfica exaustiva, recomenda-se reportar-se a Bibliographie Jean Piaget, editada pela Foundation Archives Jean Piaget, de Genebra.

Entre os anos 1920 e começo dos anos 1930, destacam-se seus trabalhos sobre a mentalidade infantil, caracterizada pelo pensamento egocêntrico, por ausência de uma verdadeira lógica das relações e das classes e a socialização progressiva do pensamento. Piaget estuda o pensamento infantil em quatro campos: a linguagem, o raciocínio, a explicação dos fenômenos físicos e o juízo moral. Os estudos focam muito mais os limites do pensamento da criança do que as estruturas do raciocínio lógico ulterior ou os processos que produzem o pensamento lógico. O método de trabalho utilizado centra-se mais no plano das entrevistas verbais. Destacam-se nessa primeira fase as obras: A Linguagem e o Pensamento (1923), O Juízo e o Raciocínio da Criança (1924), A Representação do Mundo na Criança (1926), A Causalidade Física na Criança (1927) e O Juízo Moral na Criança (1932). As publicações desta fase não representam ainda a teoria de conjunto das operações, embora nesse primeiro momento Piaget já tivesse vislumbrado a função da reversibilidade. Esses trabalhos iniciais tiveram repercussão internacional, mas, erroneamente, interpretou-se que sua obra se resumia a esses estudos. Numa segunda fase de sua obra, de meados dos anos 1930 a 1945, inicia-se o estudo do conhecimento e o paralelo entre o desenvolvimento intelectual e a adaptação biológica, conceito este utilizado para explicar a formação dos conhecimentos. O desenvolvimento intelectual consiste em uma adaptação que prolonga a adaptação biológica, superando-a. A adaptação intelectual resulta do funcionamento de dois mecanismos, a assimilação e a acomodação, rumo a um equilíbrio. Piaget relata seus estudos e pesquisas sobre a constituição do conhecimento na criança, apresentando as bases da formação do conhecimento no plano da ação material ou da inteligência sensório-motora. A trilogia: O Nascimento da Inteligência na Criança (1936), A Construção do Real na Criança (1937), A Formação do Símbolo na Criança (1945) são representativas desse período e constituem uma importante contribuição à psicologia do desenvolvimento. A teoria de Piaget encontra-se formulada nesses livros que resultaram das observações sobre seus próprios filhos. Foram essas observações que o fizeram retomar, como ele próprio afirma, a função da ação na construção do pensamento fazendo com que passasse a duvidar do pensamento verbal, somente considerado em suas cinco obras preliminares.

Entre o final dos anos 1930 e 1950, Piaget e seus colaboradores colocam a análise estrutural a serviço do estudo da formação das categorias de conhecimento. Observam o desenvolvimento cognitivo da criança entre 6 e 9 anos e os saltos qualitativos com a utilização de uma lógica elementar descrita nas operações mentais. Tais operações são os elementos das estruturas que dão conta do caráter lógico do pensamento. Essas estruturas são as do agrupamento, do período operatório concreto e do grupo INRC (um raciocínio, segundo a estrutura deste grupo, pode ter como conteúdo proposições avançadas a título de puras hipóteses) do formal. As obras: A Gênese do Número na Criança (1941), O Desenvolvimento das Quantidades Físicas na Criança (1941), O Desenvolvimento da Noção do Tempo na Criança (1946), As Noções de Movimento e de Velocidade na Criança (1946), A Representação do Espaço na Criança (1948), A Geometria Espontânea na Criança (1948), A Gênese da Ideia do Acaso na Criança (1951), Da Lógica da Criança à Lógica do Adolescente (1955), A Gênese das Estruturas Lógicas Elementares (1959) caracterizam essa etapa. O método clínico-crítico se configura e possibilita uma investigação fecunda em relação às categorias de pensamento. Essa fase corresponde aos anos de maturidade teórica que resultaram na sistematização do modelo explicativo do autor.

Piaget publicou muitos textos nesse período como Les Mécanismes du Développement Mental et les Lois du Groupement des Opérations: Esquisse d'Une Théorie Opératoire de l'Intelligence (1941/5), A Psicologia da Inteligência (1947) e durante os anos 1940 publicou artigos referentes à sociologia. Entre 1942 e 1952, surgem os tratados de lógica.

BIOLOGIA EM FOCO

O período de transição, compreendido entre o final dos anos 1950 e término dos anos 1960, diz respeito ao primado das estruturas operatórias e ao interesse pelos mecanismos do desenvolvimento. As obras dessa época correspondem aos aspectos operativos e figurativos da cognição, e a característica marcante é a busca do sujeito epistêmico universal. A construção do modelo de equilibração explica o processo de aquisição das estruturas operatórias. No entanto, as preocupações de Piaget voltam-se para a análise dos processos do desenvolvimento, centrando-se em questões biológicas. As pesquisas realizadas no Centro Internacional de Epistemologia Genética são publicadas nos Estudos de Epistemologia Genética (EEG) entre 1957 e 1968. Obras como Aprendizagem e Conhecimento (1959), Mecanismos Perceptivos (1961), A Imagem Mental na Criança (1966), Memória e Inteligência (1968), Biologia e Conhecimento (1967), Estruturalismo (1968) correspondem a esse período.

Piaget dirige novas pesquisas sobre os problemas relativos aos mecanismos do desenvolvimento cognitivo e a questão da "explicação causal". A obra As Explicações Causais (1971), do período de transição, além de consolidar a novidade da sua epistemologia aponta novos rumos para a pesquisa epistemológica e psicológica, pois Piaget entende que nelas "existe uma interação dialética entre as duas formas de conhecimento, lógico-matemático e físico".

Os estudos piagetianos do quarto período, anos 1970, referem-se às múltiplas maneiras de explicar o progresso do conhecimento, há ênfase nos processos de construção de estruturas, de preferência das próprias estruturas cognitivas. Os conceitos de equilibração, abstração reflexionante, abstração empírica, correspondências ou morfismo, implicação significante resultam numa nova maneira de determinar as etapas do desenvolvimento, expressa pela "tríade dialética intra, inter e trans". Dentre as publicações desta última fase destacam-se os livros: A Tomada de Consciência (1974), Fazer e Compreender (1974), A Equilibração das Estruturas Cognitivas (1975), Abstração Reflexionante (1977), Formas Elementares da Dialética (1980) e outras atribuídas a ele após a sua morte.

É nas publicações do último período que o caráter dialético da obra piagetiana fica mais evidente. Sem abandonar a ideia de desvendar a embriogênese do conhecimento, o caminhar do seu pensamento revela uma constante reelaboração, chegando a novas sínteses e resgatando conceitos apresentados no primeiro período.

SKINNER E O BEHAVIORISMO

Piaget explica como é impressionante a criatividade contínua existente na construção do conhecimento. Segundo ele "[...] explicar um fenômeno psicológico significa reconstruir a sua formação", o que é fundamental para a Psicologia Genética. [...] Vendo-se como um conhecimento se constrói, podemos compreender melhor a sua natureza".

Dentre mais de setenta livros publicados por Piaget, destacamos Aprendizagem e Conhecimento, escrito numa época na qual a teoria behaviorista de Skinner era a base para as explicações sobre os processos de aprendizagem. Iniciadas as atividades do Centro Internacional de Epistemologia Genética, Piaget publica importantes resultados de estudos sobre a natureza das estruturas lógicas e o papel que a coordenação das ações exerce nesse processo, sendo, por sua vez, desencadeadas pela leitura da experiência. No terceiro ano de atividade do Centro, Piaget dedicou-se a uma análise das relações entre a lógica e a aprendizagem. Estes estudos proporcionaram "discussões incessantemente renovadas sobre o alcance do esquema estímulo-resposta [...] e de saber se é possível dissociar as contribuições respectivas do objeto e do sujeito na relação S – R [...]". Os estudos vão além e proporcionam uma teoria da aprendizagem original ao elucidar o papel primordial da atividade do sujeito na construção progressiva das estruturas. Estas, por sua vez, ao se desenvolverem, conduzem à lógica. Assim, é proposta a hipótese de que há uma relação circular entre "lógica da aprendizagem" e "aprendizagem da lógica".

Jean Piaget em Psicologia e Pedagogia discorre sobre a aplicação de princípios psicológicos à pedagogia. A visão do autor a respeito da educação é valiosa, uma vez que suas palavras suscitam o repensar das práticas pedagógicas e a necessidade de renovação permanente e incessante dos procedimentos didáticos, visando sempre propiciar aos alunos o "aprender a aprender". Uma educação de qualidade se fundamenta na compreensão do desenvolvimento intelectual, moral, social, afetivo da criança. Piaget entende que o desafio que se impõe é o de compreender a criança a partir de seu ponto de vista e das características do estágio de desenvolvimento em que se encontra, uma vez que "qualquer alimento intelectual não é bom indiferentemente a todas as idades"; é preciso "considerar os interesses e as necessidades de cada período", diz ele em Psicologia e Pedagogia.

O jogo, que pode ser de exercício, simbólico, de regras, de cooperação, também é objeto de análise, pois constitui-se numa atividade natural do ser humano, e, por isso, representa um forte aliado dos métodos ativos de aprendizagem. Jogando, as crianças assimilam as realidades intelectuais que sem isso permaneceriam exteriores à inteligência infantil.

Considerando que o pensamento da criança é qualitativamente diferente do pensamento adulto, Piaget propõe que o objetivo principal da educação seja o de "encontrar o meio e os métodos convenientes para ajudar a criança a [...] alcançar no plano intelectual a coerência e a objetividade e no plano moral a reciprocidade".

O espírito inovador, somado à inigualável capacidade de produção, manteve Piaget sempre ativo, permitindo-lhe trazer novos elementos para a estruturação do seu sistema teórico até o final da sua vida. É por isso que a Epistemologia Genética compõe um consistente quadro de referência para a discussão da problemática educacional, fornecendo uma contribuição inestimável para entender fatores que envolvem a educação e, mais, condições para elaboração de propostas educacionais construtivas, com caráter dinâmico e cooperativo.

Referências bibliográficas

Araujo, R. M. Alfabetização Econômica. Compromisso Social na Educação das Crianças. São Bernardo do Campo: Universidade Metodista de São Paulo, 2009.

Banks-Leite, L. "As Dimensões Interacionista e Construtivista em Vygotsky e Piaget". Cadernos do CEDES, nº 24, 1991, pp. 25-31,

Banks-Leite, L. "Considerações sobre as Perspectivas Construtivista e Interacionista em Psicologia: o Papel do Professor". Caderno Ideias, Brasil, nº 19, 1993,
pp. 57-65.

Banks-Leite, L. "Piaget e a Educação: Exame Crítico das Propostas Pedagógicas Fundamentadas na Teoria Psicogenética". Educação e Realidade, v. 19,
no 1, 1994, pp. 79-88.

Becker, F. "Um Divisor de Águas". Viver mente & cérebro, no 1, pp. 24-33, 2005 (Memória da Pedagogia).

Becker, F. A Epistemologia do Professor; o Cotidiano da Escola. 14a ed. Petrópolis: Vozes, 2009.

Becker, F. Da ação à Operação: o Caminho da Aprendizagem em J. Piaget e P. Freire. P. Alegre: Palmaringa/DP&A, 1997.

Becker, F. Educação e Construção do Conhecimento. Porto Alegre: Artmed, 2001.

Becker, F. O Caminho da Aprendizagem: da Ação à Operação em Piaget e Freire. 3ª ed. Petrópolis:
Vozes, 2010.

Becker, F. Origem do Conhecimento e a Aprendizagem Escolar. Porto Alegre: Artmed, 2003.

Bringuier, Jean-Claude. Conversando com Jean Piaget. Rio de Janeiro/São Paulo: Difel, 1978.

Chakur, C. (org.). O Social e o Lógico-Matemático na Mente Infantil: Cognição, Valores e Representações Ideológicas. São Paulo: Arte & Ciência, 2002.

Chakur, C. (org.). O Construtivismo na Pesquisa. v. 2. Curitiba: Editora CRV, 2009.

Chapman, M. Constructive Evolution: Origins and Development of Piaget's Thought. Cambridge: Cambridge University Press, 1988.

Coll, C. "Piaget, o Construtivismo e a Educação Escolar: Onde Está o Fio Condutor?" Substratum: Temas fundamentais em Psicologia e Educação, v. 1, nº 1, 1997, pp. 145-164.

Coll, C. & Gillièron, Ch. "Jean Piaget: o Desenvolvimento da Inteligência e a Construção do Pensamento Racional". In: Banks-Leite, L. Piaget e a Escola de Genebra. São Paulo: Cortez, 1987.

Coll, C. "As Contribuições da Psicologia para a Educação: Teoria Genética e Aprendizagens Escolares". In: Banks-Leite, L., Piaget e a Escola de Genebra. São Paulo: Cortez, 1987.

Coll, C.; Palacios, J.; Marchesi, A. (orgs.) Desarrollo Psicológico y Educación. Madrid: Alianza
Editorial, 1990.

Damásio, A. O Erro de Descartes – Emoção, Razão e Cérebro

Humano. São Paulo: Companhia das Letras, 1996.

De Souza, M.T.C. C. "As Noções de Sujeito e Objeto na Teoria de Jean Piaget". In: Simão, L. M.; Coelho Jr.; N. E.; e De Souza, M. T. C. C. Noção de Objeto, Concepção de Sujeito: Freud, Piaget e Boesch. São Paulo: Casa do Psicólogo, 2002.

Delval, J. "La Representación Infantil del Mundo Social". In: Turiel, E.; Enesco, L.; Linaza, J. El Mundo Social en la Mente Infantil. Madrid: Alianza Editorial, 1989.

Delval, J.; Echeita G. "La Comprensión en el Niño del Mecanismo del Intercambio Económico y el Problema de la Ganancia". Infancia e Aprendizaje, v. 54, Madrid, 1991, pp. 71-108.

Demo, P. Complexidade e Aprendizagem. A Dinâmica Não Linear do Conhecimento. São Paulo: Atlas, 2002.

Denegri, M. El Desarrollo de las Ideas Acerca del Origen y Circulación del Dinero: Un Estudio Evolutivo con Niños y Adolescentes. Madri: EUM, 1995.

Domahidy-Dami, C. & Banks-Leite, L. "As provas operatórias no exame das funções cognitivas". In: Banks-Leite, L. Piaget e a Escola de Genebra. São Paulo: Cortez, 1987.

Dongo-Montoya, A. O. Teoria da Aprendizagem na Obra de Jean Piaget. São Paulo: Unesp, 2009.

Dongo-Montoya, A. Piaget: Imagem Mental e Construção do Conhecimento. São Paulo: Unesp, 2005.

Duckworth, E. "Either We're too Early and They Can't Learn it or

We're too Late and They Know Already: the Dilemma of 'Applying Piaget'". Harward Educacional Review, v. 49, 1979, pp. 287-312.

Ducret, J. J. Jean Piaget, savant et philosophe. Genebra: Droz, 1984.

Engelmann, S. "Does the Piagetian Approach Imply Instruction?". In: Green, D. R. et al. (eds) Measurement and Piaget. New York: McGraw-Hill, 1971.

Ferreiro, E. "Aplicar, Reproduzir, Recriar: sobre as Dificuldades Inerentes à Incorporação de Novos Objetos ao Corpo Teórico da Teoria de Piaget". Substratum: Temas Fundamentais em Psicologia e Educação, v. 1, nº 1, 1997, pp. 165-174.

Ferreiro, E. "Jean Piaget: el Hombre y su Obra". In: Ferreiro, E. Vigencia de Jean Piaget. México: Siglo Veintiuno Editores, 1999.

Ferreiro, E; Teberosky, A. Psicogênese da Língua Escrita. Porto Alegre: Artes Médicas, 1986.

Furth & Wachs Thinking Goes to School: Piaget Theory in Pratice. New York: Oxford University Press, 1974.

Gillièron, Ch. "Da Epistemologia Piagetiana a uma Psicologia da Criança em Idade Pré-Escolar". In: Banks-Leite, L. Piaget e a Escola de Genebra. São Paulo: Cortez, 1987.

Gruber, H. E.; Vonèche, J. J. (eds.) The Essential Piaget: An Interpretative Reference and Guide. Londres: Jason Aronson, 1995.

Inhelder, B. et al. "Das Estruturas Cognitivas aos Procedimentos de Descoberta". In: Banks-Leite, L. Piaget e a Escola de Genebra. São Paulo: Cortez, 1987.

Inhelder, B.; Garcia, R.;Vonèche, J. Epistemologia Genética e Equilibração. Lisboa: Horizonte, 1978.

Inhelder, G., Cellérier, G. et al. O Desenrolar das Descobertas da Criança: um Estudo sobre as Microgêneses Cognitivas. Porto Alegre: Artes Médicas, 1996.

Kamii, C. "An Application of Piaget's Theory to the Conceptualization of a Preschool Curriculum". In: Parker, R. (ed.). The Preschool in Action. Boston: Allyn & Bacon, 1972.

Kamii, C.; DeVries, R. A Teoria de Piaget e a Educação Pré-Escolar. Lisboa: Socicultur, Divulgação Cultural, 1977.

Kamii, C; Devries R. O Conhecimento Físico na Educação Pré-Escolar. Implicações da Teoria de Piaget. Porto Alegre: Artes Médicas, 1986.

Karplus, R. Science Curriculum Improvement Study: Teacher's Handbook. Berkeley: Lawrence Hall of Science, 1974.

Kesselring, T. "Jean Piaget: sua Recepção por Jürgen Habermas". In: Banks-Leite L. (org). Percursos Piagetianos. São Paulo: Cortez, 1997.

Kesselring, T. Jean Piaget. Petrópolis: Vozes, 1993.

Kuhn, D. "The Application of Piaget's Theory of Development to Education". Harvard Educacional Review, v. 49, 1979, pp. 340-360.

La Taille, Y. Moral e Ética: Dimensões Intelectuais e Afetivas. Porto

Alegre: Artmed, 2006

La Taille, Y.; Menin, M. (org). Crise de Valores ou Valores em Crise? Porto Alegre: Artmed, 2009.

Lawson, A. "Developing Formal Thought and Biology Teaching". American Biology Teacher, v. 37, 1975, pp. 411-429.

Macedo, L. de. "A Questão da Inteligência: Todos Podem Aprender?" In: Oliveira, M. K.; Rego, T. C.; Souza, D. T. (orgs.). Psicologia, Educação e as Temáticas da Vida Contemporânea. São Paulo: Moderna, 2002.

Macedo, L. de. "Situação-Problema: Forma e Recurso De Avaliação, Desenvolvimento de Competências e Aprendizagem Escolar". In: Perrenoud, P.; Thurler, M. G.; Macedo, L.; Machado, N. J.; Allessandrini C. D. As Competências para Ensinar no Século XXI: A Formação dos Professores e o Desafio da Avaliação. Porto Alegre: Artmed, 2002.

Macedo, L. de. Ensaios Pedagógicos: Como Construir uma Escola para Todos? Porto Alegre: Artmed, 2005.

Massabni, V. "O Construtivismo e a Prática de Professores de Ciências". In: Chakur, C. (org). O Construtivismo na Pesquisa. Curitiba: Editora
CRV, 2009, v. 2.

Maturana, H; Varela, F. De Maquinas y Seres Vivos – Autopoiesis: la Organización de lo Vivo. Santiago: Universitaria, 1995.

Meirieu, P. O Cotidiano da Escola e da Sala de Aula: O Fazer e o Compreender. Porto Alegre: Artmed, 2005.

Meyer, G. "Une École où les Enfants Veulent ce qu'ils Font" (resenha). Le Nouveau Quotidien, 1996.

Michiels, Marie-Paule; Vauclair-Visseur, Anne-Sylvie. "Note de Synthèse: Piaget et son Temps". Revue Française de Pédagogie, v. 57, nº 1, 1981, pp. 42-72. Disponível em <www.persee.fr/web/revues/home/prescript/act>. Acesso em 2/04/2010.

Montangero, J.; Inhelder, B. (orgs.). Bibliographie. Genebra: Fondation Archives Jean Piaget, 1989.

Montangero, Jacques; Maurice-Naville, Daniele. Piaget ou a Inteligência em Evolução: Sinopse Cronológica e Vocabulário. Trad. Tânia B. I. Marques e Fernando Becker. Porto Alegre: Artmed, 1998.

Munari, Alberto. "Jean Piaget (1896-1980)". In: Assis, Múcio C.; Mantovani de Assis, Orly Z. Anais do XII Encontro Nacional de Professores do Proepre: Construtivismo e Educação. Campinas: Unicamp/FE/LPG, 1996, pp. 1-10.

Nogueira, C. Classificação, Seriação e Contagem no Ensino do Número: um Estudo de Epistemologia Genética. Marília: Oficina Universitária/Unesp, 2007.

Ottavi, Dominique. De Darwin a Piaget; para uma História da Psicologia da Criança. Lisboa: Instituto Jean Piaget, 2001.

Palma, A; Palma, J. "O Ensino da Educação Física: Princípios Fundamentais para uma Relação Pedagógica Construtivista na Educação Infantil e Ensino Fundamental". FIEP BULLETIN, v. 75, 2005, pp. 91-95.

Palma, J. "O Esporte na Escola como Conteúdo da Educação

Física". In: Pires, A. Junhor, A; Honorato, T. (org). Representações Sociais e Imaginário no Mundo Esportivo. Londrina: Lazer&Sport, 2008.

Parrat-Dayan, S. "La Réception de L'Oeuvre de Piaget dans le Milieu Pédagogique des Années 1920-1930". Revue Française de Pédagogie, v. 104, 1993, pp. 79-83.

Parrat-Dayan, S. "Le Texte et Ses Voix: Piaget Lu par ses Pairs dans le Milieu Psychologique des Années 1920-1930". Archives de Psychologie, v. 61, no 237, 1993, pp. 127-152.

Perret-Clermont, A. A Construção da Inteligência pela Interação Social. Lisboa: Socicultur, 1978.

Piaget on Piaget. Direção: Claude Goretta. Suíça: Yale University, 1977 (vídeo, 41 min., áudio em português).

Piaget, J. (ed.). Logique et Connaissance Scientifique. Paris: Gallimard, 1967.

Piaget, J. "A Psicogênese dos Conhecimentos e a sua Significação Epistemológica". In: Piatelli-Palmarini, M. (org.). Teorias da Linguagem, Teorias da Aprendizagem: o Debate entre Jean Piaget e Noan Chomsky. São Paulo: Cultrix, [1978] 1987.

Piaget, J. "Autobiographie". Cahiers Vilfredo Pareto (Les Sciences Sociales avec et après Jean Piaget), v. 14, nos 38/39, 1976, pp. 1-43.

Piaget, J. "Desenvolvimento e Aprendizagem". In: Lavatelly, C. S. e Stendler, F. Reading in Child Behavior and Development. New York: Hartcourt Brace Janovich, 1972. (tradução disponível em: <http://mathematikos.psico.ufrgs.br/im/mat01042051/desenvimento_aprendizagem.htm> Acesso em 20/05/2010).

Piaget, J. "O Possível, o Impossível e o Necessário". In: Banks, L.; Medeiros, A. A. (orgS.). Piaget e a Escola de Genebra. São Paulo: Cortez, 1977.

Piaget, J. "O Tempo e o Desenvolvimento Intelectual da Criança". In: Problemas de Psicologia Genética. Piaget. São Paulo: Abril Cultural, 1972 (Os Pensadores).

Piaget, J. "Remarques Psychologiques sur l'Enseignement Élémentaire des Sciences Naturelles". In: L'Iniciation aux Sciences Naturelles à l'École Primaire. Genebra: Bureau International d'Education, 1949.

Piaget, J. A Equilibração das Estruturas Cognitivas: Problema Central do Desenvolvimento. Rio de Janeiro: Zahar Editores, 1975.

Piaget, J. Abstração Reflexionante; Relações Lógico-Aritméticas e Ordem das Relações Espaciais. Porto Alegre: Artmed, [1977] 1995.

Piaget, J. Adaptation Vitale et Psychologie de l'Intelligence: Sélection Organique et Phénocopie. Paris: Hermann, 1974.

Piaget, J. As Formas Elementares da Dialética. São Paulo: Casa do Psicólogo, 1996.

Piaget, J. De la Pédagogie. Paris: Odile Jacob, 1998.

Piaget, J. Fazer e Compreender. São Paulo: Melhoramentos/Edusp, [1974] 1978.

Piaget, J. La Construction du Réel chez l'Enfant. Neûchatel: Delachaux et Niestlé, 1937.

Piaget, J. La Formation du Symbole chez l'Enfant. Paris: puf, 1945.

Piaget, J. O Desenvolvimento do Pensamento; Equilibração das Estruturas Cognitivas. Lisboa: Dom Quixote, [1975] 1977.

Piaget, J. O Raciocínio da Criança. Rio de Janeiro: Record, [1924] 1967.

Piaget, J. Problemas de Psicologia Genética. Rio de Janeiro: Forense, 1973.

Piaget, J. Sabedoria e Ilusões da Filosofia. Trad. Zilda A. Daeir. In: Piaget. São Paulo: Abril Cultural, [1969] 1978 [Os Pensadores].

Piaget, J. Six Études de Psychologie. Paris: PUF, 1964.

Piaget, J. "Apprentissage et Connaissance". In: Gréco, P.; Piaget J. Apprentissage et Connaissance. Études d´Épistemologie Génétique, v. vii. Paris: puf, 1959.

Piaget, J. "Discours Du Directeur". In: Troisième Conférence International de l'Instruction Publique: Process-Verbaux et Resolutions. Genebra: Bureau International d'Éducation, 1934.

Piaget, J. A Linguagem e o Pensamento da Criança. Rio de Janeiro: Fundo de Cultura, [1923] 1961.

Piaget, J. A Tomada de Consciência. São Paulo: Melhoramentos/ Edusp, [1974] 1978.

Piaget, J. Biologia e Conhecimento. Ensaio sobre as Relações entre as Regulações Orgânicas e os Processos Cognoscitivos. Petrópolis : Vozes, [1967] 1973.

Piaget, J. Comportamento Motriz da Evolução. Porto: Rés Editora, 1976.

Piaget, J. Introduction à l´Épistémologie Génétique. Paris: PUF, 1950.

Piaget, J. La Naissance de l'Intelligence chez l'Enfant. Neûchatel: Delachaux et Niestlé, 1936.

Piaget, J. Les Formes Élémentaires de la Dialéctique. Paris: puf, 1980.

Piaget, J. Para Onde vai a Educação? Trad. Ivete Braga. Rio de Janeiro: José Olympio, 1973.

Piaget, J. Psicologia e Pedagogia. Trad. Dirceu A. Lindoso. 4ª ed. Rio de Janeiro: Forense Universitária, 1976.

Piaget, J. Psychologie et Pédagogie. Paris: Denoel, 1965.

Piaget, J. Rapport du Directeur à la Septième Réunion du Conseil. Genebra: Bureu International d'Éducation, 1936.

Piaget, J. Sobre a Pedagogia. Textos Inéditos. Trad. Claudia Berliner. São Paulo: Casa do Psicólogo, [1930] 1998.

Piaget, J.; Garcia, R. Vers du Logique des Significations. Genebra: Murionde, 1987.

Piaget, J.; Gréco, P. Aprendizagem e Conhecimento. Trad. equipe da Livraria Freitas Bastos. Rio de Janeiro: Freitas Bastos, [1959] 1974.

Piaget, J.; Inhelder, B. La Psychologie de l'Enfant. Paris: puf, 1966 (Coleção Que Sais-Je?).

Ramozzi-Chiarottino, Zelia. "A atualidade da Teoria de Jean Piaget: a embriologia mental e a demonstração, nos EEUU, da influência do meio no núcleo da célula, o RNA influindo sobre o DNA". Resumo. Disponível em: <www.fundepe.com/coloquiopiaget/brazil/pdf/ZELIARAMOZZI.pdf>. Acesso em 15/05/2010.

Ramozzi-Chiarottino, Zelia. Em Busca do Sentido da Obra de Jean Piaget – Pequena Contribuição para a História das Ideias e para a Ação do Psicólogo num País de Contrastes. São Paulo: Tese de Livre-Docência em Psicologia – Instituto de Psicologia da USP, 1982.

Sisto, F.; Oliveira, G; Fini, L.; Souza, M; Brenelli, R. (org.). Atuação Psicopedagógica e Aprendizagem Escolar. Petrópolis: Vozes, 2001.

Tognetta, L. A Construção da Solidariedade e a Educação do Sentimento na Escola. Campinas: Mercado de Letras, 2003.

Vidal, F. Piaget Neuchâtelois. Neuchâtel: Bibliothèque Publique et Universitaire, 1996.

Zabala, A. & Arnau, L. Como Aprender e Ensinar Competências. Porto Alegre: Artmed, 2010.